사람의 전쟁 1

-문학의 눈으로 바라보는 한국전쟁 70년

여는 글

상처를 돌아보는 일은 고통을 다시 소환하는 일이다. 굳어가는 딱지를 일부러 떼어 숨죽이고 있던 피를 다시 흐르게 하는 일이다. 일부러 아픈 일이다. 그러나 상처의 깊숙한 곳, 고통의 뿌리가 해결되지 않았다면 언제든 다시 활화산이 되어 피가, 고통이 솟구친다. 그래서 아픈 거기를 헤집어 고통의 근원을 찾아야 한다. 찾아서 제자리로 돌려놓아야 상처는 온전히 기억의 자리에서 편안할 수 있다.

우리는 아직도 둘로 나뉘어 있다. 같은 피를 가진 형제들이, 자매들이 만나지 못한다. 부모와 자식이 함께 밥상머리에 앉을 수 없다. 그리 멀지 않은 과거에 우리는 서로를 죽이는 전쟁으로 맞섰다. 지금의 시각으로 보면 납득할 수 없는 이유였다. 아니 사람이 사람을 죽이는 모든 전쟁에 합당한 이유가 있을 리 없다. 광견바이러스에 감염된 개처럼 그저 미친 짓일 뿐이다. 그렇게 70년이 흘렀다.

시간은 온전히 한 생의 길이가 되었다. 전쟁에서 죽은 사람만큼이나 깊은 상처를 안고 살아남았던 사람도 이제 많이 남지 않았다. 이렇게 상처의 뿌리는 그대로인 상태이지만 전쟁이라는 직접적인 기억은 많이 흐릿해졌다. 그래서 지금은 오늘의 기억을 살펴야 할 때이다.

한국전쟁 70년을 맞는 오늘 우리는 상처를 다시 돌아본다. 그럴진대 오늘의 눈으로 돌아본다. 지금도 피가 흐르는 상처는 흐르는 그대로, 묻히고 풍화된 것은 묻히고 낡은 기억 그대로, 지금의 눈으로 말해보기로 했다. 다양한 형식을 가진 문학의 입으로 말하기로 했다.

시간이 갈수록 더한 아픔이 흐르는 골령골의 이야기는 서사시의 목소리로 말한다. 아플지언정 조용히 조목조목 얘기한다. 전쟁이 발발하고 이틀 후 서울을 버린 대통령은 5일 동안 충남도지사 관사에 머문다. 이때의 일을 자세히 알 수는 없으나 여기 한 편의 희곡은 그 시간을 보통 사람의 눈으로 관찰한다. 과학적 상상력으로 현대의 아이가 전쟁을 겪은 할머니의 기억을 끌어안는 과정을 보여주는 동화도 있다. 한국전쟁을 직접 겪은 사람들의 목소리, 전쟁의 한가운데 있었던 학도병과 여성으로 전쟁을 관통해야 했던 기억을 직접 들어보는 르포는 뜨겁다.

지역마다 전쟁의 기억은 다르다. 25일에 전쟁이 시작된 마을도 있고, 차츰 포성이 다가오는 지역에서 기다리는 전쟁은 긴장감이 다르다. 대전 인근에서 일어났던 전쟁의 기록을 바탕으로 쓴 소설이 있다. 전쟁 중에도 삶은 이어진다. 전쟁이라는 참혹한 과정 안에서 사람들은 위안을 얻고 희망을 만들며 살아간다. 아픔과 상처를 위로하던 당시의 대중가요에 대한 고찰은 그래서 아름답다. 현대의 전염병을 대하는 한 여성의 불안과 전쟁 당시 여성의 고통이 교차하며 불안의 뿌리를 탐색해보는 소설도 만나볼 수 있다.

70년 전에 일어난 한국전쟁이라는 비극적인 사건을 오늘의 눈으로 돌아보는 이 두 권의 책은 스토리밥작가협동조합의 작가들이 모여 기획했고 대전문화재단이 후원하면서 본격화되었다. 대전을 중심으로 여러 곳에서 벌어진 전쟁의 상황과 1950년에서 현재까지 다양한 시간대에서 해석되는 사건들을 기반으로 여러 이야기들이 탄생했다. 다소 빡빡한 일정에도 각자의 시선으로 아픔을 돌아보고 자신만의 형식으로 이야기를 풀어나간 사람들은 스토리밥작가협동조합의 작가들과, 조합의 기획에 기꺼이 마음을 얹어준 작가들이다.

이 책은 또 하나의 특징을 가지고 있다. 종이책과 멀티미디어의 결합을 시도한 것이다. 두 권 중 첫 번째 책에서는 시, 소설, 희곡 등 각 분야의 글들을 활자로 읽을 수 있다. 그리고 두 번째 책에서는 이 글들을 다양한 방법으로 다시 만난다. 일명 멀티미디어북이다.

먼저 한국전쟁을 주제로 한 영상에세이의 스틸 컷을 보다가 보면 QR코드를 만난다. 이제 그곳으로 스마트폰을 가져가면 직접 움직이는 영상에세이를 보고 들을 수 있다. 연극도 같은 방법으로 만날 수 있다. 우리는 본 책에 실린 희곡을 낭독 공연이라는 방식을 선택해 실제 연극배우들의 참여로 제작했고, 이를 언제 어디서든 보고 들을 수 있도록 책 안에 자리하게 했다. 서사시 역시 시인의 낭송으로 직접 들을 수 있으며 동화는 10장의 그림으로 새롭게 음미할 수 있게 구성했다. 본문에서 언급한 당시의 대중가요 또한 직접 듣고 볼 수 있다. 이런 시도는 활자 스스로가 다른 표현방식으로 변화할 수 있는 가능성을 모색하는 일이다. 또한 하나의 문학을 다른 방식으로 느껴보는 기회이기도 하다.

자, 이제 읽고 느껴볼 일이다. 한국전쟁을 읽고 오늘의 기억을 느끼는 일이다.

스토리밥작가협동조합

* 스토리밥작가협동조합은 협동조합의 설립이 자유로워진 2013년, 여러 분야에서 글을 써오던 작가 여섯이 손을 모아 만든 작가 모임이다. 이렇게 모인 작가들은 각자의 일과 더불어 여럿이 함께해야 도모할 수 있는 일을 찾았다. 머리를 모아 기획했고 발을 아끼지 않고 돌아다녔다. 작가들을 위한 수익사업도 일거리 중 하나지만 공익을 위한 일도 큰 몫이다. 지금도 통념과 다른 새로운 만족의 기준을 찾아 각자의 글로 분투 중이다.

차례

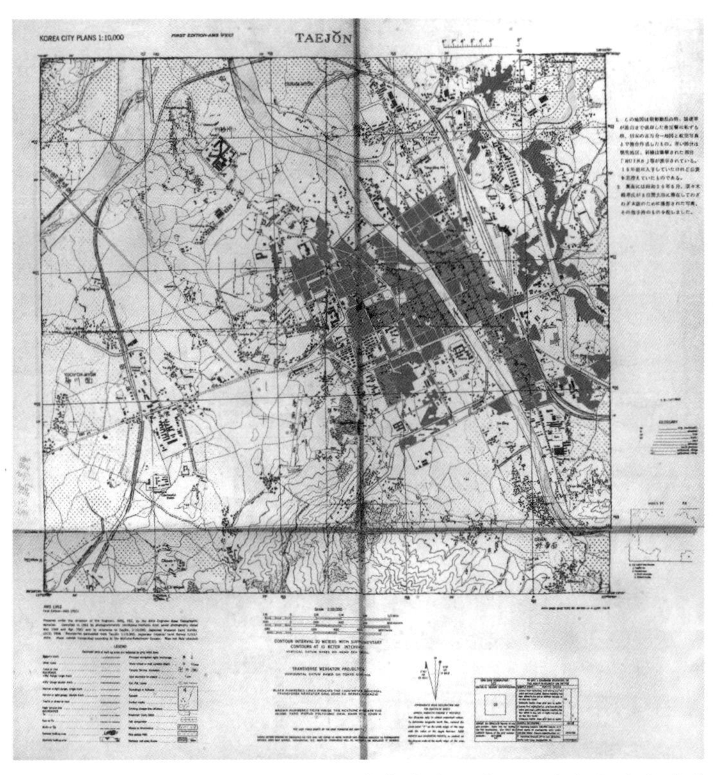

전쟁 시에 폭격으로 망가진 대전 지역

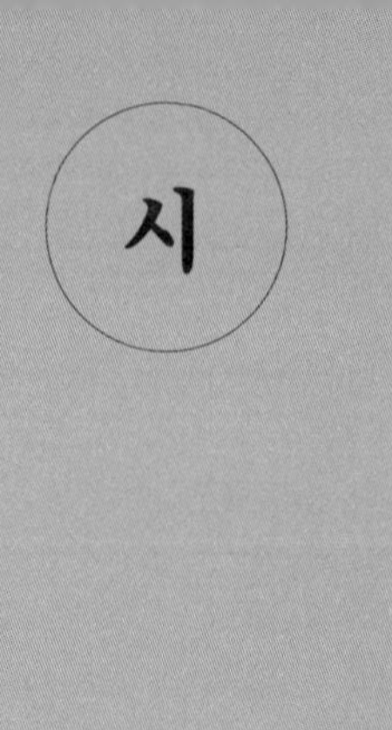
시

골령골

함순례

그 사이 뗏장은 푸른 옷으로 갈아입었다
어김없이 계절은 바뀌어도

세상 밖으로 나오지 못하는 사람들
함부로 구겨지고 부서진 사람들

세상에서 가장 긴 무덤 위로
향이 스며 흐르고

쇠꼬챙이에 긁힌 검은 표지석
뼛조각을 모아둔 가건물 하나

뒤섞여 떠도는 불안한 눈빛들
가시덤불 무성한 골짜기

* * *

해방이 되자

남한에는 좌파와 우파의 대립이 극심해지고

친일파와 지주 세력을 등에 업은 이승만 정부는

자신을 비판하는 사람들을 좌파로 몰아

형무소에 가두기 시작한다

신순란의 큰오빠도 이때 경찰에 잡혀갔다

밤마다 마을 사람들에게 글을 가르치고

틈만 나면 책을 읽던 오빠

밧줄로 묶고 총을 겨눈 경찰에게

"왜 내 자식을 잡아가려 하냐"고

하소연하는 아버지에게도 총이 겨눠졌다

어머니는 혼절하고 열세 살 순란

펄쩍펄쩍 뛰며 울었다

이계성의 아버지 이현열
1948년 경찰에 끌려갔다
해방 직후 남원에서
건국준비위원회 청년단장으로 활동하다
전주형무소에서 재판 받고
대전형무소로 이감됐다

아버지가 없는 집 우익 청년들이
시시때때로 찾아와 못살게 굴었다
어머니는 남의 집 일을 다녔고
가족들은 옥수수와 수수죽으로
겨우 연명했다

눈이 많이 오던 겨울
경찰을 피해 달아나다 동상에 걸린 누이는
오른쪽 다리를 잘라야 했다

여덟 살 계성은, 이게 다 좌익을 한 아버지 때문이라고

아버지를 한없이 원망했다

어느 날 벼락을 맞듯

잡혀가고, 잡혀가고

* * *

1950년 6월 25일, 전쟁이 일어나자

이승만 정부는 가장 먼저

전국 보도연맹원 및 요시찰인 전원을 검거해

구금, 처단할 것을 지시한다

좌익/

전향/

보호/

관리/

소집/

기합/

반공교육/

충성맹세/

신분보장/

하지만 제거!

보도연맹원들은

집에 있다가

밭일 하다가

아무런 의심 없이

소집에 응했다가

그 길로 구금되고,

구금됐다

반강제로 가입된 중학생 고등학생도 농민도

자기도 모르게

명단에 이름이 올라 있었다

* * *

27일 새벽 2시 비밀리에

대전으로 피난 온 이승만 대통령과 정부 각료들.

대전은 임시수도가 된다

같은 시간, 보도연맹원과

여수순천사건 관련자들은

인적 드문 남대전 나들목 근처
낭월동 골짜기로 끌려갔다

전깃줄로 굴비 엮듯 손과 손이 묶인 채
군 트럭에 실려 끌려간 이들을
살기 띤 헌병대와 경찰이 맞이했다

꿈이 아니었다

친일과 득세,
권력고착과 반공,
더 이상 독립 시민을 꿈꿀 수 없었다
자주와 정의, 더불어 평등한 오늘과 내일,
이런 것이 옳은 것이라 생각했다
옳은 길이면 기꺼이 가야 한다고,
적어도 나 살 궁리만 하지 않았으니

크게 잘못 산 건 아닌 거야,
생각했다

그래 그렇다 해도
죽은 듯이 살지 못해 미안하다
출소를 앞둔 이 아비를 목 빼고 기다릴
계성아, 내 아들 계성아
빨갱이 자식, 애비 없는 자식
어떤 멸시와 핍박에도 굴하지 말거라
어머니와 누이 잘 살펴 강건하게 견뎌야 하느니
미안하고 또 미안하다

아버지, 어머니,
노심초사 걱정만 끼친 불효자식
열흘 전 면회 오셔서 뵌 것이 마지막입니다
죄 송 합 니 다……,

이건 정말 내가 꿈꾸는 오늘이 아니다
내일은 더더욱 아니지!

지독한 여름이었다
여름인데도 살을 파고드는 한기

총성이 연이어 골짜기를 흔들어댔다

* * *

1950년 7월 1일 새벽 3시
이승만 대통령과 정부 요인들은 대전을
탈출하기에 급급하고, 이들의 남하는
대전형무소 재소자의 집단 처형을 부른다

"좌익수들, 여순반란사건 관련자, 10년 이상의 강력범을 인도하라"

헌병대가 요구하고
법무무장관이 재가했다

1950년 7월 3일, 대전형무소 재소자들이
하나둘 감방 문밖으로 끌려 나왔다

무장병들이 마구 찌르는 총구에
트럭 바닥에 어떻게든 구겨지고
아주 납작해져서
실려간 곳은 며칠 전
처형이 진행된 산내 골령골

충남 예산 출신 오천식은 억울했을까

서산경찰서 경찰로 근무하던 중
박헌영 추종자 초등학교 동문을 봐주었다는
동료 경찰의 밀고로 2년형을 언도받고 복역하다가
이곳 산내에서 처형되었다

고순현 등 제주4·3사건 연루자 97명도
각각 7년형을 언도받아 대전형무소에서 복역하다
이때 처형되었다

“부장님 나 안 죽었어요. 나 좀 한 방 쏴주세요.”

살인강도로 10년형,
잔형이 1년밖에 남지 않아
직원식당에서 일하던 재소자는
형무소 특경대장과 눈이 마주치자 애원했다

고통에 몸부림치던 시신들,

구덩이에 거꾸로 쑤셔박히고 널브러졌다

산 위에서 돌을 굴려 주검을 눌러버렸다

* * *

한국군 작전지휘권이 유엔군으로 이양된 시기,

금강방어선 붕괴로 퇴각을 준비하던 군은

마무리 학살을 감행한다

여수순천사건에 연루돼

영등포형무소에 수감됐던 안병남은

전쟁이 나자 풀려나 열차 타고 내려오다

대전역에서 다시 연행됐다

대전형무소는 인산인해,
그는 형무소 앞마당에 무릎 꿇린 채
얼굴을 땅에 박고 꼬박 하루를 있었는데
머리가 짧은 사람들이 뒷머리만 내놓고 있던 모습이
마치 가마니에서 밤을 가득 쏟아놓은 듯했다고
기억했다

안병남은 살아남았지만
함께 귀향길에 올랐던 같은 마을 사람
이복환, 이회수는 어디로 갔을까
소문처럼, 산내 어느 골짜기로 갔을까

송영섭은 충남 태안면사무소 서기로 근무하던 중
전쟁이 터지자 보도연맹원이라는 이유로
경찰에 연행돼
7월 10일 산내에서 총살되었다

최재봉은 보도연맹원이라는 이유로 체포돼
대전형무소에 수감되었다가
7월 13일 산내에서 총살되었다

7월 16일 100명씩 실은 트럭 3대/
계곡으로 이동/
여성 상당수 포함/
3,700명 사살/

국군이 후퇴하면서
시신에 휘발유를 끼얹고 불을 질러
시신의 형체조차 알아볼 수 없었다

생명이
짚불처럼 태워지고

함부로 사라졌다

어처구니없었다

너무나 가벼웠다

* * *

1950년 6월 27일부터 30일까지

1,400여 명 총살!

1950년 7월 2일부터 5일까지

1,800명에서 2,000명 총살!

1950년 7월 6일 무렵부터 7월 17일 새벽까지

1천여 명에서 3,700명 총살!

그래서 그래야, 유지되는
무능과 독재와 야만의 시대

전쟁이라는 비상시기를 틈 타
법적인 절차도 없이
왜 죽어야 했는지

죽어도 죽을 수 없는 혼들이
행방불명
행방불명

* * *

산내 골령골 집단학살이
미군 장교의 감시 아래 이루어지고

사람들을 처형장으로 끌고 온 트럭은
미국 것이고, 운전자 몇 명은
미국인이었다

총질, 구타, 목을 자르는 일들은
남한 경찰이 했지만 이것은
미국의 범죄라고

1950년 6월부터 전쟁이 끝날 때까지
한국에 머무르며 골령골의 참상을 목격한
영국 <데일리 워커> 알랜 위닝턴 기자가
보도했다

미국 정부는 전면적으로 부인하고
은폐하기 바빴으나

미국 정부가 한국 군경의 집단학살을

승인하거나 묵인했음을,

그들이 직접 촬영한

현장 사진과 보고서가 말해준다

1999년 말 미국의 기밀문서 해제로

'죽음의 블랙박스'가 열리면서

만천하에 드러난

진실!

* * *

하루라도 위태롭지 않은 날 없었다

아파도 아프다고 말할 수 없었던 마음

긴 시간 끝에
지워지고 재갈이 물린
말문이 열리기 시작했으나

이미 훼손된 유해
그마저 수습할 길 막히고
또다시 뒤엉키고
흩어지는
설움 겹겹

언제쯤에야
희생자를 제대로 모실까
상처의 뿌리는 깊어 가는데

멈추지 않는 그리움
잠들 수 없는 고통이

우거진 골짜기

쓸쓸하고 쓸쓸한

새소리만 골수에 사무친다

* 심규상, 「감옥에서 사라진 사람들」(한국구술사학회), 『구술사로 읽는 한국전쟁』(휴머니스트, 2011)과 평화통일교육센터, 『산내 골령골』(문화의 힘, 2016) 등을 참조했다.

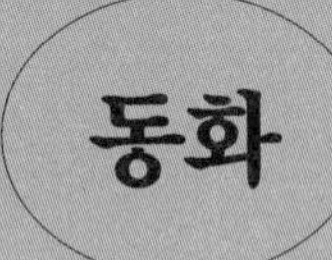
동화

미래의 전쟁 비법

정재은

"오예! 드디어 레벨 삼천이다!"

미래는 저절로 터져 나오는 자기 목소리에 깜짝 놀라 이불을 푹 뒤집어썼다. 이불 속에서 '천전비' 3000레벨을 돌파한 것이다.

'천재의 전쟁 비법', 줄여서 '천전비'는 병사들을 능력에 따라 잘 배치하여 적을 물리치는 온라인 게임이다. 내 편인 파란색 군인들이 빨간 적군들을 몽땅 죽여서 이기면 레벨을 통과한다. 미래가 온라인 수업 때문에 태블릿 컴퓨터를 차지하게 된 게 닷새 전이니까 불과 닷새 만에 삼천 판의 싸움에서 이겨 레벨을 높인 것이다. 3000 나누기 5는 600이므로 하루에 최소 600판은 한 셈이다. 물론 그보다 더 많이 했을 것이다. 항상 이긴 게 아니라 질 때도 많았으니까.

미래는 흐뭇하게 웃으며 3001레벨을 시작했다.

"거기, 내 말 들려요? 너 전쟁 중이에요?"

태블릿 컴퓨터에서 말소리가 들렸다. 상대편 빨간 보병이 말하고 있었다. 영웅급 대장도 아니고, 전설의 마법사도 아니고, 앞줄에서 병사의 숫자를 채우다 가장 먼저 죽는 보병이 말을 하다니!

미래는 화들짝 놀랐다. 미래가 알기로 '천전비'에는 상대방과 말하는 기능이 없었다. 게다가 병사는 태블릿 화면에서 튀어나올 것처럼 현실적이었다. 분명히 게임 속 그림일 뿐인데도 마치 살아 있는 것 같았다.

미래는 덜컥 겁이 났다. 게임을 너무 많이 했나? 밤중에 몰래 하다 보니 헛것이 보이는 건가? 게임 중독, 게임 부작용, 소아정신과, 치료, 감금, 컴퓨터 압수 등 마구 떠오르는 무서운 단어들을 잊으려 애쓰며 미래는 컴퓨터를 끄고 누워 눈을 꼭 감았다.

이디가 보낸 우주 전파가 행성에 도착한 건 닷새 전이다. 처음에 이디는 목표했던 삐리리 행성에 오지 못한 줄로만 알았다.

분명히 우주 좌표도 맞고 70%가 바다로 뒤덮인 행성의 겉모습도 비슷한데 예상과는 뭔가 달랐다. 이상했다.

두 발로 걷는 주류 종족 '인간'이 77억 이상이나 살고 있는데도 행성 전체를 통틀어 전쟁이나 전투가 전혀 감지되지 않았던 것이다. 이곳이 삐리리 행성이 아니거나 선생님이 틀렸거나 둘 중 하나다.

이디는 호기심 행성에 산다. 호기심 행성 학교의 이번 숙제는 우주의 새로운 사실에 대한 탐구보고서를 쓰는 것이다. 순디는 삭막 행성을 순식간에 뒤덮은 노란 민들레에 대해 연구할 예정이고 밍디는 우주쓰레기의 성분을 분석하겠다고 했다. 이디는 삐리리 행성이 궁금했다. 선생님은 삐리리 행성은 복잡하고 더럽고 전쟁이 끊이지 않는 곳이라서 알 필요가 없다고 했다. 오죽하면 이름조차 제대로 붙이지 않고 '삐리리' 소리만으로 행성을 부르겠냐고 했다.

"전쟁을 한다고? 한 행성 안에서 같은 종족끼리?"

"전쟁이 뭐야? 의견이 달라서 다투는 건가?"

"전쟁은 무력으로 쳐들어가는 거래."

"무력이 뭐야? 때리는 거? 꼬집는 거?"

"백과사전에는 전쟁을 하면 총이랑 대포를 쏘고 폭탄도 터뜨린다고 나와."

"그럼 죽잖아. 그런 걸 왜 해?"

호기심 많은 이디의 친구들이 전쟁에 대해 떠들었다. 총, 대포, 폭탄? 싸워서 이기는 쪽이 물자와 땅을 차지한다고? 피융, 따다다다, 쾅쾅. 전쟁 장면을 상상하면 할수록 이디의 호기심은 점점 더 불어났다. 그래서 선생님 말씀에는 신경쓰지 않고 삐리리 행성의 전쟁에 대해 조사하기로 마음먹고 말았다.

호기심 행성과 삐리리 행성은 아주 멀리 떨어져 있기 때문에 이디는 삐리리 행성으로 직접 오지 않고 특수 우주 전파를 보내서 관찰을 시작했다. 그런데 삐리리 행성을 아무리 관찰해도 대포를 쏘거나 폭탄이 터지는 곳을 찾을 수가 없었다. 그뿐 아니었다. 인간들 대부분은 집 밖으로 돌아다니지 않았고, 어쩌다 보이는 경우에는 천으로 입을 가리고 서로 멀찍이 떨어져서 다니고 있었다. 빨리 전쟁터를 찾아서 보고서를 끝내고 싶었던 이디는 실망했다.

그래도 호기심 행성 출신 이디의 호기심은 강했다! 뭐라도 더 알아내기 위해 우주 전파의 주파수를 이리저리 바꿔보던 이디는 지구 인터넷에 접속하게 되었다.

삐리리 행성의 인터넷은 정말 복잡했다. 이 행성의 인간들은 바깥이 아니라 인터넷 활동을 주로 하는 것 같았다. 그러니 전쟁도 인터넷에서 이루어지는 게 분명했다. 며칠째 인터넷을 탐색하던 이디는 마침내 전투가 끊이지 않는 전쟁터를 찾아냈다.

전쟁터는 바로 '천재의 전쟁 비법', 전쟁터로 접속한 장소의 이름은 <박필생의 태블릿 컴퓨터>였다. 이디는 삐리리 행성을 관찰한 지 닷새 만에 전쟁터 접근에 성공했다. "거기, 내 말 들려요? 너 전쟁 중이에요?"

"미래야, 아직 자냐? 일어나서 온라인 수업인지 뭔지 하긴 해야지. 아까도 니 엄마가 너 수업 듣게 하라고 한참 뭐라 하고 출근했어. 그거 아니라도 일어나야지. 점심 먹을 때 다 되겄네."

"네, 할머니. 수업할 테니까 방에 들어오지 마세요!"

미래는 할머니에게 얼른 대답을 하고 태블릿 컴퓨터를 켜서 천전비 게임을 열었다. 어젯밤 일이 떠올라 게임이 잘못되었을까봐 약간 걱정이 되었다.

레벨 3000. 덤비 전사, 찬비 마법사, 발맞춰 보병, 던져 폭탄병……, 다행히 모두 그대로였다. 미래는 마음을 놓고 레벨 3001을 시작했다.

전투가 진행되어 적군이 몇 남지 않았을 때였다. 빨간색 발맞춰 보병이 화면 밖으로 쓱 튀어나왔다. 진짜로 튀어나온 건 아니고 홀로그램으로 떠오른 거였다.

"으악."

"안녕! 전쟁 중에 죄송한데요, 잠깐 같이 얘기 좀 할 수 있을까요?"

"이럴 수가. 어젯밤 일이 꿈이 아니었다니!"

미래는 정신을 똑바로 차리려 노력하며 두 눈을 비비다가 멈칫했다. 손으로 얼굴을 만지지 말고 손도 깨끗이 씻어야 한다는 얘기가 생각나서였다. 급한 김에 책상 위에 놓였던 마스크를 얼른 쓰며 말을 꺼냈다.

"무슨 얘기요?"

"박필생 님, 지금 무슨 전쟁을 하는 거예요?"

'박, 필, 생? 누구더라? 아, 맞다, 할머니 성함이지.'

미래가 쓰고 있는 태블릿 컴퓨터는 미래 할머니의 것이다. 작년 할머니 칠순 때 엄마가 선물로 사드렸다. 그렇다면 미래에게 말을 거는 빨간 병사는 할머니의 컴퓨터를 해킹한 것일 수 있었다. 미래는 나쁜 놈들이 휴대전화나 컴퓨터의 정보를 해킹해서 사기를 친다는 얘기를 떠올리고 바짝 긴장했다.

“전쟁이 뭐? 지금 벌어지는 전 지구적 코로나19 바이러스와의 전쟁을 말하는 거냐? 그걸 왜 나한테 묻지? 질병관리본부에 가봐라.”

미래는 얕잡히지 않으려 어른처럼 굴었다.

“박필생 님 계신 곳은 어디예요? 지구가 삐리리 행성 맞죠? 아니, 그건 우리 행성 말이니까 모르실 수도 있겠군요. <박필생의 태블릿 컴퓨터>가 전쟁 본부인 건 알겠는데 지리적 공간은 어디인가요?”

“전쟁 본부는 무슨……. 여기는 대한민국이야, 한국! 대전광역시! 그리고 난 지금 너 때문에 엄청나게 짜증나거든? 혹시 사기 칠 생각이라면 그냥 꺼져줄래? 게임 못 할 거면 차라리 온라인 수업이라도 듣게.”

“박필생 님이 수업을 듣는다고요? 그럼 어른은 아니지? 나랑 비슷한가? 숙제도 있어?”

‘아차……’ 계속되는 대화 속에서 아이인 걸 들키고 만 미래는 아무 말이나 막 던지기 시작했다.

“갑툭튀 님, 내가 뭘 하든 말든 신경 꺼주실래요?”

“갑, 툭, 튀? 내가 갑자기 툭 튀어나왔다는 뜻이죠? 가능하면 사전에 나오는 말을 써 줄래요? 지난 며칠 동안 박필생 님이 쓰는 언어를 익히느라 엄청 힘들었거든요? 친근하게 다가가려고 홀로그램까지 만드느라 무지하게 바빴단 말예요."

"넌 한국 사람이 아니야?"

"정확히 말하자면 나는 사람이 아니에요. 호기심 행성인이죠. 호기심 행성에서 전파를 보내고 있는 건데, 소통 매개체로 빨간 병사를 택한 거고, 그러니까 생긴 건 완전히 다르고, 이름은 '이디'예요."

미래는 자기도 모르는 새에 빨간 병사 이디와의 대화에 푹 빠져들고 있었다. 바이러스가 유행하면서 학교에 가지 못하고 친구도 못 만난 지 한 달이 훌쩍 넘는 동안, 미래는 친구와 수다를 떨 기회가 부족했다.

학교에 낼 보고서 자료를 모으러 지구에 왔다는 이디가 외계인인지는 정확히 알 수 없어도 사기꾼은 아닌 것 같았다. 그래도 미래는 자기가 박필생인 척을 하며 본래 이름을 알려주지 않았다. 너무 많은 개인정보를 주지 않기 위해서다. 그래서 태블릿 컴퓨터의 원래 주인이 할머니인데 온라인 수업을 듣기 위해 잠시 빌려 쓰고 있다는 말도 하지 않았다.

"그러니까 필생이 네가 하고 있는 전쟁은 진짜 전쟁이 아니라 재미로 하는 게임이라는 말이지? 나는 네가 한국전쟁을 하고 있는 줄 알았어."

다음 날, 이디는 미래에게 친구처럼 편하게 말을 걸고 있었다.

"한국전쟁? 한국전쟁이 뭐야? 한국에선 전쟁 안 해."

"조사해봤더니 한국전쟁은 아직 끝나지 않았다는데?"

미래가 골똘히 생각에 잠겼다.

'임진왜란은 옛날에 끝났고, 3·1만세운동은 전쟁이 아니고……'

"한국전쟁은 1950년 6월 25일에 일어났대. 넌 그런 것도 몰라? 너 공부 못하지?"

"아, 6·25전쟁 같은데? 그거 아직 안 배웠거든? 어, 그런데 1950년이면 우리 할머니가 태어난 해인데."

미래가 깜짝 놀랐다. 공부 못한다는 걸 들켜서가 아니라 1950년에 전쟁이 났었다는 사실 때문이었다.

"1953년에 휴전을 했대. 그러니까 전쟁이 끝난 것도 안 끝난 것도 아닌 거지. 난 망했어. 지구에서 지금 일어나고 있는 전쟁에 대한 보고서를 쓰고 싶었는데……. 순디랑 밍디는 벌써 거의 다 했다던데."

"뭐라고? 지금 전쟁을 하면 어쩌라고? 죽으면 어떡해? 안 돼! 전쟁 싫어! 전쟁은 나빠!"

발끈하는 미래에게 이디는 빠르게 말하기 시작했다.

"웃기네. 내가 널 어떻게 찾아냈는지 알아? 며칠 전부터 너는 자고 먹고 화장실 가는 시간 빼고는 열심히 전쟁만 하고 있었잖아. 그렇게까지 죽어라 전쟁 게임만 하는 걸 보니 네가 전쟁 좋아하는 줄 알았어. 그래서 너한테 접근했던 거라고. 그런데 내 숙제엔 하나도 도움이 안 되네."

미래는 어쩐지 화가 났다. 전쟁이 완전히 끝나지 않았다는 것도 싫었고, 임진왜란처럼 옛날 일이라 여겼던 6·25전쟁과 할머니가 연결되는 것도 무서웠다. 불안할 때마다 미래는 게임을 했는데, 이디가 나타난 후에는 게임 레벨을 올리지 못하고 있었다.

"레벨 3001 시작!"

미래 편인 파란색 군인들이 빨간색 군인들을 덮치기 시작했다. 이디의 목소리를 내던 빨간색 보병이 놀란 표정으로 멈춰 섰다. 그러거나 말거나 미래의 파란색 폭탄병은 빨간색 병사 쪽으로 궁극의 폭탄을 던졌다. 빨간색 보병이 놀란 표정 그대로 넘어져서 사라져 버렸다. 레벨 3001 승리.

"할머니! 나 밥!"

미래는 태블릿 컴퓨터를 끄고 할머니를 부르며 방문을 열었다. 할머니는 엄마와 통화하는 중이었다.

"미래는 지 방에 틀어박혀서 원격수업인지 뭔지 하는 모양인디? 말소리가 계속 들리던데 그거 수업하는 거 아니여? 담임선생님이 수업 안 듣는다고 문자 보내셨다고?"

미래는 부랴부랴 책상에 앉아 온라인 학교 페이지로 접속을 했다. 기분이 별로였다. 며칠 새 밀린 숙제를 해야 해서 그런 건지 빨간 보병의 마지막 표정 때문인지 알 수가 없었다.

"육십칠, 육십팔, 육십구, 에잇! 왜 꼭 칠십 번째에 걸리는 거야?"

집 앞에서 줄넘기를 하던 미래는 줄넘기 줄을 땅에 던져 버렸다. 줄넘기를 꾸준히 하라는 게 학교

숙제인데, 웃기는 건 그냥 뛰기, 뒤로 뛰기뿐만 아니라 2인 마주보고 뛰기도 해야 한다는 것이었다. 사람들과 거리두기를 하느라 친구를 못 만나는데 도대체 누구랑 줄넘기를 하라는 건지 모르겠다. 천전비에는 이디가 나타나지 않은 지 이틀째였다. 미래는 땅에 떨어진 줄넘기 줄을 집어들다가 다시 던져 버렸다.

"할머니! 할……."

집 안으로 들어서던 미래는 할머니 목소리를 듣고 멈춰 섰다. 할머니가 누군가와 이야기를 나누고 있었다.

"그려. 필생이는 나여. 박, 필, 생. 그런데 뭐가 궁금한디?"

"한국전쟁 자료를 찾다가 네가 하는 게임이랑 비슷한 그림을 찾았어. 이거 알아?"

이디의 목소리였다. 할머니가 태블릿 컴퓨터를 켜고 이디와 말하고 있었던 것이다.

"게임은 무슨 게임? 나는 고스톱밖에 안 하는디, 게임은 미래가 잘 알겄지."

"고스톱? 미래? 그건 다 뭐야. 아무튼 그림에 대해

선 알아? 그림 밑에 설명도 쓰여 있어."

'이디 재는 우리 할머니한테 왜 반말을 하는 거야? 건방지게. 그리고 이디 때문에 내가 게임하는 거 다 들키겠네.'

미래가 속으로 애태우며 대화에 귀를 기울였다.

"어디 보자. 돋보기를 써야 보이겄네. 6·25전쟁의 전개 과정이라…… 이게 요즘 온라인 학교인가 그런 건가 보네. 북한군의 남침, 연합군의 반격……, 무슨 말이 이렇게 어렵다냐? 중국군의 개입……, 이게 1·4 후퇴 피난 때 말하는 거 같은디?"

"1·4후퇴? 피난은 뭐야? 이렇게 화살표가 남쪽까지 그려지는 게 피난이야? 화살표가 북으로 갔다 남으로 갔다 하는 게 '천전비'랑 비슷해 보였어."

"화살표는 군대가 움직이는 것 같고, 피난은 일반인들이 남으로 온 거지. 그런디 천전비는 또 뭐여? 그러고 보니 날 업고 임진강을 건넜다는 천씨 아저씨 생각이 나네. 그해 피난올 때 엄청시레 추웠댜. 물론 난 기억이 안 나지만."

'할머니가 피난을 왔다고?'

처음 듣는 얘기에 흥미를 느낀 미래는 집으로 들

어오며 소리쳤다.

"할머니, 실화야? 진짜냐고?"

"미래 들어왔냐? 내가 인터넷에서 세일 정보 찾아보려고 판때기 컴퓨터 좀 진짜로 썼다. 그런데 요새는 별별 기능이 다 있구나. 아, 네 친구가 뭐 물어보는 거 같던데 나중에 답해줘라. 칼국수 해줄게 그거 먹고 마스크 쓰고 산책이라도 가자. 이거야 답답해서 원……."

할머니가 부엌으로 간 사이 미래는 태블릿 컴퓨터를 켜고 천전비에 접속했다. 이디는 보이지 않았다. 그런데도 적군 병사들이 다 이디처럼 보여서 미래는 전투를 시작할 마음이 들지 않았다. 미래의 천전비 레벨은 3001에 멈춰 있었다.

대전천변에 마스크를 쓴 사람들이 보였다. 코로나19 때문에 공포에 시달리던 한 달 전보다는 사람이 많아졌다.

"그새 벚꽃이 다 졌네. 세상에 봄이 이렇게도 가는구나."

할머니가 노래하듯 말했다.

"할머니, 할머니."

"왜?"

"할머니 6·25때 피난 왔어요? 할머니 대전 사람 아니었어?"

"피난 와서 대전 살고 있으니 대전 사람 맞지. 그게 왜?"

"어디서 피난 왔는데요? 서울에서? 경기도에서?"

"서울, 경기도도 지나왔고, 그보다 저쪽 이북에서 왔다더라."

"그러면 할머니의 엄마, 아빠, 그러니까 내 증조할머니, 증조할아버지가 북한에서 살았어요?"

"그랬겠지? 아이구 다리야, 저기 좀 앉자."

미래의 할머니는 친부모님이 누군지 모른다고 하셨다. 1·4후퇴 때 평안도인지 황해도인지에서 폭격으로 죽은 엄마 품 안에서 울고 있던 갓난아기를 누군가 구해줬는데, 그 갓난아기가 할머니였다. 같이 피난 가던 일행은 돌아가며 아기를 돌봐 주었다.

"그래서 친부모님 성함도 모르고, 죽을 뻔했던 나를 구해줬다는 생명의 은인이 누군지도 모르고, 피난길에 돌봐주었던 분들 이름도 하나도 몰러."

할머니가 안타까운 표정을 지었다. 할머니에게 꼭 살아남으라고 '필생'이라는 이름을 지어준 분이 누군지도 모르고, 피난길 사람들 중에서 할머니를 대전까지 데리고 온 아저씨의 성이 천씨라는 것만 전해 들었다. 이후에 소제동 피난촌에서 만난 아주머니가 아기 할머니를 돌봐줘서 할머니는 대전에 자리잡고 자라게 되었다고 한다.

"그 아주머니가 내 어머니가 되었지. 저기 목척교 보이지? 전쟁 끝나고부턴가 기억이 가물가물 떠오르는데, 저 근처에서 어머니가 장사를 했어. 엄니가 땔감도 팔고 부침개도 팔고 하다가 나중엔 시장 들어가서 칼국수도 팔았는디……."

"아, 그래서 할머니 칼국수가 맛있구나!"

"난 어릴 땐 칼국수 별로 안 좋아했어. 지금도 그저 그려. 에구에구, 목척교까지 걸어가 볼까?"

구멍 숭숭 뚫린 신기한 구조물 덕분에 목척교는 어디서 봐도 척 알아볼 수가 있다. 오랜만에 바깥에 나온 미래는 스텝을 밟으며 빨리 걷기 시작했다.

"미래야, 좀 천천히 걷자. 목척교에 저 뚜껑 씌웠을 때 널 포대기에 업고 나왔던 게 엊그제 같은데,

이제 니가 날 좀 업어도 되겠네."

"헤헤. 할머니는 저게 뭐처럼 보여요?"

미래가 목척교를 가리키며 물었다.

"그게, 난 암만 봐도 저게 우주선처럼 보여. 나는 몰라도 미래 너는 우주선 타고 오는 외계 사람들을 만날 수도 있겠지?"

'할머니, 어떤 외계인들은 우주 전파만 보내기도 해요. 우주선이 꼭 필요한 건 아니라구요.'

미래가 이디를 떠올리며 속으로 말했다. 미래는 이디를 또 만나고 싶었다. 만나면 해줄 이야기가 생겼기 때문이다.

"필생아, 필생아!"

태블릿 컴퓨터 위로 빨간 병사 홀로그램이 튀어나왔다. 태블릿 컴퓨터는 미래의 이불 속이 아니라 책상 위에 놓여 있었다.

'박필생은 자고 있는 거야? 이제 정말 얼마 안 남았는데…….'

이디는 마음이 급했다. 이번 달 우주 전파 사용량이 거의 다 돼서다.

“박! 필! 생!”

“이디! 좀 조용히 해. 엄마랑 할머니 깨시겠어.”

이디가 볼륨을 높여 말하자 자다가 깨어난 박필생이 소곤소곤 말했다.

“널 못 보고 갈까봐…….”

“너 가? 보고서 끝냈어? 이제…… 못 보는 거야?”

“아, 우주 전파 사용량이 제한적이거든. 보고서는 대충 내려고. 전쟁은 화살표로 표시되는 게 다가 아닌 거 같은데, 그거 말고 더 알아낼 게 없어서 어려워. 선생님이 왜 지구를 ‘삐리리 행성’이라고 하면서 아무것도 안 가르쳐주시는지 알 것 같아. 선생님도 모르시는 걸 거야.”

“응. 전쟁은 ‘이겼다’, ‘졌다’로 끝나는 게 아닌 것 같아. 전쟁 중에 죽는 사람들, 고생하며 살아가는 사람들이 있으니까.”

박필생이 어른스러운 말을 했다. 아닌 게 아니라 지난번에도 조금 이상했다.

“필생아, 너 괜찮아? 나 때문에 네가 삐진 줄 알았어. 요새 천전비도 잘 안 하고, 저번 말투도 좀 이상했고…….”

“아, 그때 너한테 1·4후퇴 얘기한 건 내가 아니라 우리 할머니야. 그리고 내 이름은 필생이가 아니라 미래야. 박필생은 우리 할머니 성함이야. 이 컴퓨터가 할머니 것이거든. 아무튼, 네가 내 이름도 제대로 모른 채 사라질까봐 걱정했잖아."

"아, 네 이름이 미래였구나. 그런데 요즘 게임은 왜 안 해?"

"그게……. 적군 병사가 친구일지도 모른다는 생각이 들어서 전쟁 게임이 좀 찝찝해졌어. 이름을 아는 적군에게 폭탄을 던지는 건 기분이 별로야."

"친구? 날 말하는 거지? 하지만 네가 게임은 게임이고 전쟁이 아니라며."

"응. 어쨌든 게임 속에서는 내가 무조건 이길 테니까 좀 미안하기도 하고……."

미래가 말했다.

"그렇다고 게임을 아예 안 할 작정인 건 아니야. 혹시 널 볼 수 있을까 해서 매 시간 접속도 했었어."

덧붙이는 미래의 말에 이디는 마음이 놓였다.

"다음 달에 우주 전파를 쓸 수 있게 되면 다시 게임 속으로 올게. 레벨을 높여 놓는 게 좋을걸? 다음엔 우리 편도 만만치 않을 테니까."

이디가 말했다.

"그래. 이제 <박필생의 태블릿 컴퓨터>는 전쟁 본부가 아니라 우주평화 본부가 되는 거야."

이디가 '박필생의 전쟁 비법'이라고 써놨던 보고서의 제목을 '미래의 전쟁 비법'으로 고칠 때, 미래는 천전비 레벨 3002 전투를 시작했다.

르포1

그의 목소리

-교복 입고 전쟁터로 간 학도병, 양관모 씨 이야기

백민정

대전의 전쟁 이야기를 모으기 시작한 건 2012년부터다. 2012년 여름이 한창이던 토요일 오후 우연히 만난 한 할아버지를 통해 한국전쟁 이야기를 들은 것이 시발점이 되었다. 이후 지속적인 관심을 갖고 이야기 수집에 골몰하던 중 만난 이가 양관모 씨(1932년생)다.

2015년, 필자는 신탄진에 있는 참전용사회관을 방문하여 전쟁 체험담을 구연해주기를 요청하였는데, 그곳 할아버지들이 양관모 씨를 소개해주었다. 그는 대전시 서구 가장동 보훈회관 내에 있는 6·25 참전 유공자 대전 서구지부에 상시 출근을 하는 지부장으로 있었다. 그에게 전화를 하여 인터뷰의 취지를 알렸더니 흔쾌히 수락해주었다. 인터뷰하던 2015년 당시 84세였던 그는 꽤 고령의 나이임에도 꼿꼿하게 흐트러짐이 없는 자세를 시종일관 유지하면서 조근조근하고 점잖은 말투로 이야기를 이어 갔다. 이 글은 당시 그를 인터뷰한 녹취록에 근거하여, 그 녹취 내용을 최대한 살리는 선에서 녹취의

구어체를 다듬어본 글이다.

그는 원래 고향이 황해도이다. 예닐곱 살 정도에 가족과 함께 기차를 타고 대전에 오게 되었다. 대전에서 신흥초등학교, 대전중학교에 다녔다. 스스로 공부는 잘하지 못했다고 생각하였지만 시험을 치니까 합격은 되어서 대전중학교에 들어가게 되었다. 지금 당시 대전중학교는 대전고등학교의 전신인 셈이다. 그가 대전중학교 4학년이 되던 해에 전쟁이 터졌다.

1950년 6월 25일이 일요일이었고, 새벽 네 시에 인민군이 쳐들어왔다. 그 날은 평온한 일요일이었으며, 마침 농번기였다. 현역들은 대다수 외출로 귀가하여 집안의 모심기를 돕고 있을 때였다. 이럴 때 인민군이 남침을 했던 것이다. 미사일이니 탱크니 전부 삼팔선에 다 있었는데, 인민군들은 그날 새벽 네 시에 그것들을 모두 끌고 남침을 했다. 철원부터 병력이 다 나오기 시작했다. 이런 갑작스러운 침략에 우리 군인들은 정신을 차릴 수가 없었다. 그의 말에 따르면, 그래서 학도병(學徒兵)이 생긴 것이다.

'현역 가지고는 안 된다. 우리가 도와야겠다.'

그는 학도병으로 참전했다. 서울 같으면 6사단, 경기도 같으면 1사단. 이렇게 사단별로 교육받고 총 들고 전쟁터로 나간 것이다. 군복도 지원받지 못하여 학생복을 입고 전쟁터에 나갔다.

앞서 언급했든 그가 대전중학교 4학년 시절 전쟁이 일어났다. 당시는 초등학교 6학년 졸업 후 보통학교 2학년을 마치면 중학교로 진학을 했는데, 당시 중학교가 5년제였다. 따라서 지금의 학제로 따진다면 그때의 중학교 4학년이라는 나이는 지금의 고등학교 2학년 정도 되는 나이였다. 학도병이라고 하여 누가 모집을 했거나 국가가 불러서 간 게 아니다. 나라가 위태로우니 다들 스스로 자원을 하여서 전쟁터에 간 것이다. 학도병으로 지원을 하여 가보니 중학교 배속 장교가 있어서 기본 군사 교육을 받았다. 현역부대에 가서 일주일에서 보름 정도 목총을 들고 기본 교육만 받고 바로 전투에 투입된 것이다.

학도병들은 당시 정식 군인처럼 군번도 없기 때문에 어떤 그런 뚜렷한 기록이 남아 있진 않다. 서울이면 서울 사단에서, 대전이면 대전 사단에서, 경기도

면 경기도 사단, 이런 식으로 모여서 학도병이 출전했다. 현역 군인으로 갈 나이가 아닌 열일곱, 열여덟. 지금 같으면 전쟁터에 나간다는 것은 생각도 못 하는 나이이다. 그때는 순수한 마음으로 국가가 위기에 처해 있으니 이렇게 공부만 할 수 없다며, 순수한 마음으로 전쟁에 참여했다. 당시 그와 같이 학생의 몸으로 참전을 한 학도병은 오만 명 정도였는데, 그 중 팔천 명이 죽었다. 그런데 그는 현재 '살아 있다'. '살아남은' 그에게 있어서 전쟁터의 기억이란 나이 팔십이 넘도록 불면의 고통에 시달리게 만드는 고문이었다.

그가 6·25 전쟁이 일어나자마자 학도병으로 지원하여 전쟁터에 나가보니 학도병들은 부대별로 6사단, 1사단, 그 다음 후방 부대 이렇게 배속이 되었다. 갑작스러운 남침에 현역 군인들조차 우왕좌왕하였다. 현역 군인들이 우왕좌왕하니 학생들은 더 말할 것도 없었다. 오합지졸이 따로 없는 형국이었다.

「포화 속으로」라는 영화가 관람되는 영화관에서 학도병 출신 참전자들은 모두 다 울고 있었다. 학도병을 위주로 해서 만든 영화인데, 그는 그 영화를 참 잘 만들었다고 생각한다. 폭탄이 떨어지면 빨리 도망가야 되고, 진격해야 되고, 후퇴해야 되는 등의 것을 반복을 하다 보니 아비규환의 연속이었다. 「포화 속으로」에서 보면 매캐한 냄새 나는 속에서 누가 아군인지 적군인지 구분을 못 할 정도인 장면이 나오는데, 실제 전쟁이 그랬다. 말로 다 못 할 정도로 복잡하고 끔찍한 전쟁이었다.

그는 그 유명한 김성원 장군의 휘하에 있었는데, 그것이 그 유명한 '영천전투'이다. 영천전투는 아주 치열했다. 열두 번 빼앗기고 열두 번 탈환했던 전투가 일어난 곳이 낙동강 바로 위이다. 이 중 '다부동 전투'라고 있다. 이 전투가 일어났던 동네 이름이 다부동이기 때문이다. 거기 무너졌으면 부산 앞바다까지 모두 적들에게 넘어갔을 것이다. 거기서 영천 다부동을 지키고 맥아더 장군이 인천상륙작전을 성공시켰던 덕에 남한이 살아날 수 있었다. 그렇지 않았으면 전부 부산 바다로 들어가든가, 전 국토가 김일성에게 넘어갔을 것이라고 그는 생각한다.

지금도 잠을 못 이룰 정도로 잊지 못하는 기억의 고통은 그의 곁에서 죽어간 전우들의 모습으로 인한 것이다. 총탄이 여기저기서 날아가니 그 역시도 거기서 얼마든지 그 총탄에 죽을 수도 있었던 상황이었다. 그의 곁에 있었던 사람들이 다치고 죽어가는데 그는 살아 있는 것이다. 그가 자신의 옷을 찢어서 묶어 주었다면 그들이 죽지 않고 살 수도 있었을 텐데, 그러지 못해서 고통스럽게 죽어가던 그들의 모습. 죽은 학도병의 시신들을 운반해주어야 했지만, 그것조차 할 수 없게 만든 전쟁터에서의 긴박한 상황들로 인해 그들을 그곳에 두고 올 수밖에 없었다.

살려달라고 아우성치는 애들을 부축해주고 싶어도, 총알이 왔다 갔다 하는 곳에서 엎드려 있다가 조금만 일어나면 총알을 맞으니 그들에게 갈 수 없었다. 그렇다고 쓰러진 사람이 일어나서 총을 맞지 않는 곳으로 오기도 어려웠다. 교전이 끝날 때까지 속수무책으로 그렇게 있어야만 했다. 교전이 끝난 후 가보면 이미 아까 살려달라고 아우성쳤던 전우들이 이미 죽어버린 것이다. 보통 삼십 분, 사십 분, 한 시간까지 교전할 때도 있다. 나중엔 실탄이 떨어져서 빈 총을 들고 실탄 올 때까지 기다리며 버티기도 했다. 뺏겼다 찾았다, 뺏겼다 찾았다를 열두 번을 했던 다부동 전투에서 실탄이 모자라서 어려웠던 적은 한두 번이 아니었다.

한번은 어떤 학도병이 총에 맞았는데 눈을 뚫고 나갔다. 학생복을 입고 있으니 학도병인 줄은 알겠는데, 눈을 맞았으니 빨리 병원으로 후송해 가야 하는데 연락할 수가 없었다. 통신병이 없었던 것이다. 들고 다니는 박스의 무선전화로 "여기 부상병 있다. 내려가니까 데리고 가라."고 무선을 치는 것만이 할 수 있는 것의 전부였다.

또 한번은 다리를 다친 부상자가 있었다. 총을 맞았는데 걸음을 못 걷는 것이었다. 그가 부축해주고 싶었지 할 수가 없었다. 진격 명령이 떨어진 것이었다. 그러면 부상병을 그곳에 놔두고 가야만 하는 것이다. 부상병을 부축하게 되면 진격을 못 하게 되고, 그러면 부대를 이탈하게 되는 것이었다. 그 사람들이 살았는지 죽었는지도 모르는 채 전진하며 부대를 쫓아가야 했다.

뇌리에는 다친 동료들의 환영이 빙빙 돌지만, 그는 총을 쏘면서 계속 전진하고 진격해야 했다. 그러면 곁에 있던 누군가가 총에 맞거나 어딘가 다친 사람이 나온다. 그럼 죽었는지 살았는지 확인도 못 하고 또 진격하며 대열을 따라가야 하는 상황이 오는 것이다. 이렇게 동료가 총에 맞아도 싸우는 과정에서는 손도 못 댄다. 부대를 이탈하면 큰일 나니까. 그런 게 지금도 눈에 선하다.

이런 기억들이 팔십을 훌쩍 지난 지금까지도 그를 불면에 시달리게 만든다. 진격과 후퇴를 반복하던 전쟁터의 상황 속에서 학도병들은 사단장들의 지시에 따라 움직일 수밖에 없었던 탓에, 아픈 사람 묶어줄 수도 없었고 시신을 수습해줄 수도 없었던 기억. 그 다친 사람이나 죽은 사람이 그 자신이 될 수도 있었는데, 그가 살아남았던 것은 그야말로 운이었다고밖에 설명할 수 없는 전쟁터였다. 그곳에서 우리 모두를 대신하여 다치고 죽어가던 학도병 동료들의 앳된 시신들, 고통스러운 비명을 토해내며 죽어가던 동료들의 모습들을 향해 명령 없이 달려간다는 것은 당시로서는 대열 이탈 즉 탈영으로도 간주될 수 있었던 위중한 상황이었다. 그러나 전투지에서 부상을 당하며 죽어가던 동료들을 거기에 두고 온 기억들이 아직도 끔찍하게 스스로를 고문하며 밤잠을 설치게 만들고 있다.

적인지 아군인지도 모를 정도로 치열한 전투가 연일 이어졌다. 북한 인민군들은 우리나라 군인들이 죽으면 옷을 벗겨서 자기들이 입었다. 그럼 우리가 볼 때 아군으로 보여서 쏘지 못하는 사이에 그들이 우리를 쏘기도 하곤 했다. 그래서 우리도 인민군이 죽으면 인민군복을 입었다. 이로 인해 우리가 인민군복을 입은 아군을 인민군으로 오인해서 쏘기도 했다. 그렇게 죽은 사람들도 많았다. 그런 사고 발생 횟수가 잦아지자, 상부에서 인민군복을 입지 말라는 명령이 떨어지기도 했다.

전쟁터에서 식량 보급로에 문제가 생기면 주먹밥도 없었다. 그때 얘기를 하면 피눈물이 난다. 굶기를 수도 없이 해서 소나무 껍질 꺾어서 나오는 진을 빨아먹곤 했다. 그러면 위장이 쓰리고 아팠다. 그래서 고생할 때가 많았다. 소나무 가지 꺾어서 그 안에 진을 먹었다고 하면 요즘 아이들은 그게 진짜냐고 묻는다. 가지뿐만 아니라 뿌리 할 거 없이 먹을 수 있는 건 다 먹었다. 나무 잎사귀도 다 뜯어 먹었다. 그때는 산의 뱀도 싹 없어졌다. 배가 고프니 산 속에서 전투하면서 큰 뱀이든 작은 뱀이든 다 잡아 먹었다. 지나가는 달팽이도 잡아먹었다. 산에서 배가 고프면 지나가면서 지나가는 동물들은 싹 다 잡아서 먹곤 했다. 쥐새끼 같은 것도 지나가는 것이 있으면 잡아다가 산 채로 껍질만 벗겨서 먹곤 했다. 전쟁 중에는 산에 불을 피울 수 없으니 그냥 생것으로 먹을 수밖에 없는 것이다.

한번은 어떤 군인이 지렁이 비슷한 것을 먹었다. 불을 피울 수 없으니 그냥 날것을 먹었는데 냄새가 너무 지독한 탓에 탈이 나서 전투 중 내내 고생하는 것을 본 적도 있었다. 배고프니까 그런 거라도 먹을 수밖에 없었다. 전쟁터에서 주먹밥이 오다가 끊기면 어쩔 수가 없었다.

학도병으로 지원했던 학생들은 이런 전쟁을 겪는 동안, 포화 속에서 정신병이 생겨서 우왕좌왕하기도 했다. 한 팔천 명이 죽었다고 하는데 나머지 사만 몇천 명이 돌아오긴 돌아왔어도 살아남은 그들 역시도 아마 그와 상황이 같을 것이다.

인천상륙작전에 성공을 해서 9월 28일 수복(收

復)을 했다. 수복 후 대전에 와보니 그의 부모님의 경우 보문산 굴속에서 피해 계셨다. 당시 부모님의 연세가 육십이 넘었기 때문에, 멀리는 피란을 못 가셨다. 대전 지역에서 피란을 못 간 사람들은 다들 보문산 굴속에 들어가 있었다고 한다. 지금의 아쿠아월드 밑의 굴이다. 옛날에 그 굴이 참 깊고 빽빽했다. 당시에는 호랑이들이 자주 출몰하여 사람들이 올라가지 않는 곳이었지만, 전쟁 중에 미처 피란을 가지 못한 시민들이 대거 피신해 있기에는 그만한 장소가 없었다. 그들은 며칠 있으면 전쟁이 끝난다고 생각해서 음식을 조금씩 해서 들어가 있었다고 한다. 학도병 해산 후 대전에 돌아와 보니, 대전 시민들이 다 거기에 있다고 하기에 그곳에 가서 부모님을 찾았다. 몇백 명은 족히 될 정도로 많은 사람들이 그 굴속에 빼곡히 들어가 있었다. 수복이 되었다는 소식을 듣고 굴에서 나온 부모님은 집으로 돌아가셨다.

대전은 당시 격전지는 아니었지만 비행기 폭격 사고가 많았던 곳이었다. 인민군이 어딘가에 있다는 첩보가 있으면, 미군이 비행기를 끌고 와서 폭격을 하는 것이다. 연락은 지도로 명시하기 때문에 미군들도 다 통하게 되어 있다. 지금 삼성사거리의 삼성육교 밑에 새로 길 난 데가 있다. 옛날 삼성시장이었는데 거기 굴다리에서 사람이 많이 죽었다고 한다. 민간인이 그 굴다리 밑에서 폭격을 피해 있었는데, 미군들의 비행기가 그곳에 인민군이 있다고 오인을 했다. 당시 이런 오폭으로 대전 시민들이 많이 죽었다고 한다.

학도병은 51년도에 해산이 됐다. 각자 학교 가라고 해산됐는데, 그는 현역으로 바로 들어갔다. 학도병들도 집으로 간 사람들도 있고, 계속 전쟁터에 있기 위해서 현역으로 간 사람도 있었다. 계속 현역으로 들어가지 않은 사람들이 많았다. 학교 가서 공부해서 다시 출세한 사람도 있지만 그는 바로 현역으로 입대해서 휴전될 때까지 계속 싸웠다.

학도병 때 배운 게 있었기 때문에 현역 시절에는 전쟁 중에도 무섭진 않았다. 그는 공군 조종사가 되고 싶어서 공군으로 갔다. 조종사가 되면 저공비행을 해야 되는데, 빈혈이 있으면 이것을 할 수가 없다. 그에게는 빈혈이 있었다. 신체검사를 몇 차례

했지만 빈혈이 없어지질 않았다. 이로 인해 그는 비행기를 탈 수 없어서 공군에 불합격을 했다. 그래서 조종 교육을 받다가 공군을 그만두고 일반병으로 돌아갔다.

53년 7월 27일 휴전이 돼서 전쟁은 일단 끝났다. 남한과 북한을 합하여 대략 500만 명이 죽었는데, 지금도 시신을 찾지 못한 6·25 참전용사들이 많다고 한다. 38선 주위 철원이나 강원도 쪽, 또 영천 쪽에서 시신을 발굴을 하면, 그냥 무덤 속에 몰살당해 죽은 소대도 나온다고 한다. 전투에 직접 참여했던 그로서는 이러한 소식이 의미하는 바가 무엇인지 안다. 이 소대들이 당시 어떤 상황에서 몰살당했을지 눈에 훤히 그려진다. 6·25 전쟁은 다시는 일어나서는 안 되는 전쟁이다.

그의 아들들이나 손자들은 전쟁 나면 전쟁터 가겠다는 소리를 못 한다고 한다. 전쟁 터지면 전투에 지원하겠냐는 얘기를 하면 우물쭈물한다. 현재 그의 자손들은 그를 보면서, 국민이 국가를 위해 젊음을 바친다고 해도 예우가 좋지 않은 것을 다 아니 간다고 결정을 못하는 것이라고 생각한다.

그는 젊은 세대들에게 국가를 위한 안보교육이 필요하다고 본다. 이스라엘은 전쟁이 나면 각국에 나가 있는 이스라엘인은 다 이스라엘로 참전하러 간다. 오라 소리 안 해도 다 자발적으로 간다. 거기는 18세가 되면 군사 교육이 의무교육이다. 군대에 다녀와야 하는 것이다. 그는 우리도 그렇게 돼야 한다고 본다. 그러니 전쟁 나니까 누가 오라고 하지도 않는데도 너 나 할 것 없이 이스라엘 본국으로 총을 메고 가서 싸운다. 그러니까 주위가 전부 아랍권으로 둘러싸여 있음에도 불구하고 그들과 싸워서 이기는 것이다. 만일 지금의 우리나라에 전쟁이 난다면 그렇게 될 수 있을까 떠올려보면 그는 힘들다고 생각한다. 젊은 세대가 도망갈 생각만 하지 그처럼 일주일, 보름 교육받고 전쟁터 갈지에 대해서는 회의적이다.

그를 인터뷰했던 2015년 당시 그에게 있어서 가장 서운한 것은 참전용사들에 대한 국가의 처우였다. 그는 2014년 박근혜 전 대통령의 초청으로 참전용사의 자격으로 청와대에 간 적이 있었다. 당시 박근혜 대통령 바로 앞에 앉아서, 살아 있는 6·25 참전용사들에게 예우 좀 해달라고 했지만 당시 박 대통령은, "예." 대답만 하지 해주는 것이 없었다.

6·25 참전했던 사람들 중 십육만 명이 살아 있는데, 국가에서는 이들에게 월 십팔만 원 준다. 나라와 국민을 위해서 젊어서 청춘을 바쳤는데 십팔만 원을 준다. 당연히 십팔만 원으로는 생활이 되지 않는다. 어떤 노인들은 무료급식, 공짜로 먹는 데만 찾아다니는 사람도 있다. 대전역이나 서울역, 파고다공원 같은 곳의 무료급식하는 곳만 찾아다니는 참전용사들이 많다. 그는 이런 게 억울하고 분하다.

경제 10위권이고 국민소득 3만 불인 국가에서 국가를 위해 목숨을 바친 사람들에 대한 처우가 이렇다. 자치단체에 따라서 조금씩 주는 게 있긴 하다. 대전시는 오만 원, 충남은 십만 원씩 준다. 또 자식들이 도와주기도 하지만, 그것도 눈치가 보이지 않을 수 없다. 이들은 지금 팔십 고령인데 직업도 없으니, 막막한 신세다. 그 당시 학도병들은 돈을 바라고 전쟁에 갔던 것은 아니었다. 나라가 망하게 생겼고 국민이 다 죽게 생겼으니 간 것이었다. 그 역시 무슨 보답 바라고 간 건 아니지만, 이제는 나라가 이만큼 부흥했으니까 마땅히 대우해야 할 것이 아니냐, 그는 힘을 내어 강조하였다.

필자는 한국전쟁의 경험을 직접 겪지도 않았지만, 단지 듣는 것만으로도 고통스러울 때가 한두 번이 아니었다. 직접 겪어낸 그들에게 그것을 자세히 기억해내라고 요구했던 시간은 어쩌면 그들을 고통스럽게 한 것인지도 모르겠다는 자각이 뒤늦게 들었다.

아마도 양관모 씨가 필자를 선뜻 만나겠다고 했던 이유는 그들이 처한 현실과 국가의 처우에 대한 부당함을 알리고 싶었기 때문이었을 것이다. 그가 이야기했던 담화의 대부분이 다른 참전용사들과 마찬가지로 그들의 과거 순수한 애국심이 현재의 국가와 사회에서 외면되는 데에 대한 서운함을 토로하는 서사였던 데에서 이를 확인할 수 있다. 한편 그는 전쟁 체험에 대해서는 끔찍하다며 자꾸 이야기를 회피하곤 하였는데, 그것을 애써 짜내도록 했던 필자의 당시 자세에 대해 진심으로 죄송한 마음을 전하고 싶다.

그럼에도 불구하고 그의 이야기를 전해야 한다고 결심했다. 필자가 그의 아픔에 결례를 범했음에도 불구하고,

돌이키고 싶지 않은 기억을 들춰가며 이야기를 해준 그의 노고가 의미하는 바를 어렴풋하게나마 깨달았기 때문이다. 그에게 인터뷰를 요청했을 때 적극적으로 만나겠다고 했던 그의 자세가 이것을 말해주었다. 그는 '그의 목소리'를 내고자 했다. 그의 목소리는 한국전쟁이 과거의 사건으로 박제된 것이 아니라, 아직까지도 진행 중임을 확인시키는 소리라 할 수 있다.

르포2

그녀의 목소리

-열두 살 소녀가 겪은 한국전쟁의 피란 체험담, 김경자 씨 이야기

김정숙

이 글은 2015년 1월 12일 대전시 대덕구 연축동에 사는 김경자(1939년생) 씨의 녹취록에 근거하여 작성한, 기독교 가족이었던 그녀의 피란 체험담이다. 2015년 1월 12일 화요일 오후 3시경 대전시 대덕구 연축동 연축주공아파트 경로당을 방문했을 때에는 노래교실이 한창 무르익고 있었다. 10여 명의 할머니들이 노래 수업을 받고 있었다. 6·25 전쟁체험담을 듣고 싶다는 방문 목적을 알리니 흔쾌히 맞아주었으며, 수업이 다 끝나자 김경자 할머니는 자원하여 전쟁체험담을 구술해 주었다.

그녀는 금산군 진산면 출신이다. 고운 외모와 조근조근한 억양을 가진 분으로 교양 있고 범절 있는 분이었다. 요즘 아이들이 전쟁을 너무 모른다면서 꼭 아이들이 알았으면 좋겠다는 당부와 함께 한 시간이 넘는 분량의 이야기를 쉬지 않고 구연해 주었다. 먼저 초등학교 때

외운 시부터 낭송하면서 구연을 시작했다.

인생의 목숨은 천호와 같고
이씨조선 오백년은 양양하도다
이 몸이 죽어서
나라가 선다면
아! 이슬같이 죽겠노라.

열두 살 때 자고 일어나니까 빨갱이가 이남으로 쳐들어왔다는 얘기를 듣게 된다. 그녀는 인민군의 얼굴이 얻어맞은 것처럼 시뻘건 사람인 줄 알았다. 그때 진산이라는 데 살았는데, 거기까지 빨갱이가 쳐들어온 것이다. 그녀가 기억하는 것은, 어딘가로 가던 중에 마주친 인민군이 우산을 하나 주면서, "학생 동무, 3일만 있으면 해방이 된대."라고 한 말이었다. 어린 마음이라도 대한민국 정신이 박혀 있던 그녀는 인민군이 무서워서 우산을 쓰고 가기는 갔는데 얼마 안 가서 하수구 수챗구멍에다 우산을 버리고 그냥 갔다.

얼마 지나 교전이 일어났다. 가을날 껌껌한 여섯

시쯤, 국방군이 들어와서 이제 빨갱이를 몰아내려 교전을 하려고 한다, 국민들이 다 상하니까 마을을 모두 비워야 한다는 말을 연락병으로부터 들었다. 그래서 그녀는 오밤중에 가족과 함께 등에다 짐을 짊어지고 피란을 갔다.

그때 그녀의 가족은 교회를 다녔는데 부모님은 찬송가를 항아리에다 묻었다. 미싱도 항아리에 묻어 놓고, 그저 이불하고 옷보따리만 싸서 피란을 갔다. 얼마 있다가 교전이 끝나고, 국방군이 다시 돌아오라고 해서 집으로 들어갔다. 그런데 얼마 있다가 또 빨갱이들이 온다고 기별이 왔다. 그녀의 어머니는 밖이 잘 보이는 산을 보더니 빨갱이들이 온다고 그녀와 형제들을 전부 다락방에 눕혔다. 총소리가 비 오듯 했다. 어린 나이에도 우리나라 총알 소리하고 인민군 총알 소리하고 구별이 되었다. 인민군은 "따르르르~" 하니 따발총을 쏘았고, 우리나라 총은 "픽! 픽!" 칼빙총 소리였다. 따발총 소리가 나면 불안하고 가슴이 두근거렸다. 그녀의 어머니는 총알이 뚫고 들어오지 못하게 이불을 방 네 벽에다가 쳤다. 납작 엎드리라고 해서 전부 엎드렸다. 아침도

굶었는데 교전은 끝이 안 났다.

얼마 있다가 국방군 총소리가 조금 나는 것 같았다. 그러다가 누군가 대문을 두드리는 거였다. 행여나 아버지가 돌아가시면 안 된다는 생각에 그녀의 어머니가 나가서 문을 따줬다. 인민군이 쳐들어와서는 전부 다 나오라고 했다. 다들 총을 들고 있으니까 안 나갈 수가 없었다.

당시 산 밑에는 군인 가족이 살고 있었는데 군인은 가고 없었고 부인이 있었다. 인민군은 거기다가 동네 사람들을 다 몰아놓았고, 그때 그녀 어머니가 걷다가 느닷없이 탁 쓰러졌다. 삼 남매는 어머니가 총 맞고 돌아가신 줄 알고 울기 시작했다. 총이 어머니의 오른쪽 옆통수를 비껴나간 거였다. 여기저기 머리카락이 날리고 어머니가 기절을 했다. 그때 기절을 했던 어머니는 얼마 있다 깨어났다. 주위엔 국방군이 말도 못하게 죽어 있었다. 인민군들한테 총 맞아서 길에 막 깔릴 정도로. 그런데도 총 든 인민군이 가라고 했고, 그 집 방에다 불을 질렀다. 수류탄도 있었다. 군인 색시가 거기 있는데 불을 질렀다. 불이 막 타오르는 그때, 그녀 가족도 모두 죽을

판이었다.

그녀 가족을 전부 몰아넣고 인민군이 수류탄을 던지려던 찰나에 국방군이 뒤에서 왔다. 그때 마침 타이밍이 맞아 그녀 가족도 살게 되었고, 군인 색시도 살았다. 아침, 점심, 저녁까지 굶어서 모두 허기진 채로 집에 오는데 총을 맞아 피가 철철 나는 동네 방위대원을 만났다. 그 사람이 어머니에게, 자신의 부모님한테 기별 좀 해달라고 했다. 총알이 비 오듯 했는데, 그래도 안 죽고 산 게 용한 일이었다.

또 얼마 있다가 보니 군인들과 미군들이 포로로 잡혀 육백여 명이 전부 손을 엮어가지고 인민군이 앞뒤로 서서 가는 것을 보았다. 군인들 목줄을 보고 '아, 저 사람들은 천주교 믿는 사람들이다' 했는데, 지금 생각하니 그때는 철이 없었다 싶다. 그때 그녀는 교회를 다녔으니까 무조건 기도를 했다. 살려달라고. 묶어서 갔던 그 사람들은 밀려가는 것만 알았지 어떻게 됐는지 모른다.

그러자 얼마 있다가 인민군이 밤에 먹을 게 없으니까 그녀의 집에 왔다. 구두 신은 채로, 총을 든 채로, 방에 와서 밥을 해내놓으라고 했다. 한 삼십 명

왔다. 그래서 다 들여놓고, 문지기가 그녀의 부모님에게 총을 겨누고 밥을 하라니까 밥을 했다. 닭장에 있는 닭을 비틀어서 그걸 또 잡아달라고 했다. 그녀의 아버지는 닭 한 마리도 못 잡았다. 그래서 어찌할 수가 없으니까 그냥 절구통 밑에다 닭의 목을 끼워놓고서 있었다.

그런데 밥이 오글오글 끓는데, 인민군들이 밥도 못 먹고 그냥 튀어나갔다. 망을 보는 문지기에게서 국방군이 온다는 신호를 받았던 것이다. 그래서 그녀의 아버지가 절구통에서 닭을 꺼내보니까 닭 목이 짜부러져 있었는데 살아났던 기억이 난다.

또 국방군이 학교로 들어왔다. 군인 부대가 없으니까 학교로 왔는데, 그 부대에 군인들과 보초병이 있었다. 그래도 그녀의 가족은 이남의 편이라는 정신이 박혀 있어 그녀의 아버지는 화리(화로)에다가 두부와 김치를 넣고 바글바글 끓여서 두부랑 술과 막걸리까지 갖다가 줬다.

그런 후 이북 사람들이 그녀 집에 와서 포식하고 갔다. 또 그녀의 오빠가 잘생기고 똑똑했다. 그들은 오빠를 데려가서 이것저것 줘서 보냈다. 이북 사람들도 은혜를 입었다고. 그러다가 얼마 있다가 또 밀려갔다. 밀려가고 또 인민군이 오고. 몇 차례를 겪고 나니까 마을이 쑥대밭이 되었다.

그러자니까 B29라는, 앞에 날개가 다섯 개가 붙어 있고, 또 사다리 비행기가 있는데, 그것만 오면 폭격을 해대었다. 그때 그녀는 5학년이었다. 그런데 학교에 인민군이 와가지고 학교 음악 선생을 시켜서 애들 무용단을 뽑았는데 그녀도 속했다. 이 사람들은 밤에만 이동을 해서 어느 고을에 가서 무용을 했는데, 지금 생각하면 인민군 선전이었다. <인민군>, <장백산> 같은 다섯 가지 노래를 가르쳐서 무용도 시키고, 학생들은 아무것도 모른 채 선생이 시키는 대로만 했다. 구장네 집에서는 밥을 안 해주면 큰일 나니까 인민군들에게 밥을 해주었다. 그래 낮에는 가지를 못하고, 밤이면 가고를 반복했다. 그녀의 어머니는 얼마나 간이 녹았을까. 죽으면 어떡하나 하고. 그렇게 하다가 얼마 있다가 국방군이 와서 인민군이 해체되었다. 그때 음악 선생도 인민군한테 총 맞아 죽임을 당했다. 비행기 소리가 날 때는 무조건 논밭으로 들어가서 검은 치마를 뒤집어쓰고 엎드렸다. 그렇게 해서 그들은 살아났다.

그녀가 피란을 가는 중에 교회 장로라고 하는 이가 기다리고 있었다. 그녀의 어머니는 평소 거지들한테 참 잘했다. 그래서인지 부탁도 안 했는데 거지들이 와서 짐을 날라주고 구루마를 끌어주었다. 언덕배기로 올라가는데 아저씨가 그녀 가족을 기다리고 있다가 자신의 집으로 가자고 해서 그 집엘 따라갔다. 갔더니 조그마한 골방을 하나 줘서 그녀의 식구들은 피란을 할 수 있었다.

그런데 그녀의 여동생이 한참 거든다고 불 땐 재를 헛간에다 버렸는데 밤에 거기서 불이 나 가을에 농사지은 게 모조리 탔다. 은혜를 갚은 게 아니라 원수가 됐던 것이다. 그래도 그 집주인은 개의치 않았다. 그 아저씨는 말하자면 인민군들이 입당을 시킨 사람이었다. 노동당인가, 무슨 당인가 하는 자기네 당에다 넣었다. 여하튼 인민군을 위해서 운동하는 그런 데다 넣었던 것이다. 그 양반은 착한 사람이었다.

생각해 보면 불이 난 게 얼마나 다행인지 모른다. 그 아저씨 목숨을 건져주었기 때문이다. 인민군들이 아저씨를 잡으러 왔는데, 그 사람은 하나도 안 다쳤다. 동네 사람들이 와서 불을 껐는데, 그녀의 어머니가 다쳤다고 나가지 말라고 얼굴에다가 껌정 칠을 다 하고, 옷에도 검은 걸 다 묻혀서 일어나지도 못하는 것처럼 하고 있으라고 그랬다. 문에서 인민군들이 남로당 얘기하면서 나오라고 하니까 아저씨는 안 나갔다. 집에서 불이 났는데 사다리 놓고서 올라가다가 떨어져서 갈빗대 다치는 바람에 아파 못 일어난다는 말을 전했다. 그래서 약쑥이랑 여러 가지 넣어가지고 화리에 약처럼 달였는데, 진짜인 줄 알고 그 사람들이 그냥 갔다.

그때는 잘 피했는데 이제 국방군이 왔다. 이제 완전히 국방군 체제가 됐는데, 인민군에 물들은 사람 다 잡아간다며 아저씨를 잡아간 것이다. 아저씨의 상황을 아는 그녀의 아버지가 그 경찰서를 찾아갔다. 저 사람은 절대로 그럴 사람이 아니다, 만약에 그렇다면 내가 대신 징역을 살아줄 거다, 그 사람은 총부리 들이대니까 할 수 없이 갔지 절대로 그게 아니라고 그녀의 아버지가 말했다. 지금 시대는 말이 안 되지만, 옛날에는 그게 통했는지 경찰들을 다 불러다가, 그야말로 소 한 마리를 사다가 경찰들을 다 배불리 먹였다. 그들이 먹는 동안 그 사람은 절대 그런 사람 아니다, 만약에 그렇다면 내가 대신 감옥을 살겠다고 해서 그 아저씨는 살아났다.

은혜를 입었던 아저씨에게 은혜를 갚았던 일을 그녀는 지금도 안 잊어버린다. 시집을 간 이후 그때의 일이 너무나 고맙고 지금 그 아저씨가 어떻게 사는지 궁금해 여동생과 그 집을 찾아가 봤더니 없었다. 지금도 그 동네 가면 생각이 난다.

전쟁은 피란민들에게는 또 다른 전쟁터였다. 피란 갔다 오니 성경책에 곰팡이가 나고, 미싱도 다 상했다. 지금 같으면 비닐로 쌌을 텐데 집안에서 제일 중요한 미싱에 녹이 생기고, 성경책 껍데기도 하얗게 되고. 애기 발은 동상이 걸려 빨갛게 부풀고 배가 고파서 난리였다.

그녀의 어머니는 참 정이 많았다. 목이 말라도 우물이 어디 있는지 몰라 피란민들은 물을 못 마셨다. 그녀의 어머니는 집에서 한 10킬로미터쯤 되는 우물에서 무거운 옹기그릇에 물을 길어와 바가지 띄워 놓고 피란민들에게 물 마시고 가라고 마련해 놓았다. 하루 서른두 번 물동이를 날랐을 정도로 그녀의 어머니는 인심이 좋았다. 정 많은 부모님 덕분에 피란민들은 그녀의 집에서 몇 달씩 머물다 떠날 수 있었다.

그렇게 어려운 일을 겪고 난 후에도 시련은 계속되었다. 교회 다닌다고 그녀의 아버지를 인민군이 잡아갔다. 인민재판을 열어 아버지를 사형시킨다고 데리고 갔다. 그때 서른 살 젊었던 그녀의 어머니는 울었다. 무엇인가 할 말을 잊어버렸다는 듯 그녀는 한참 말을 못 잇는다. **"아이고 내가 뭔 말을 하려다가 스토리를 잊어버렸네."** 지난 시절 그 장면에 멈춘 것처럼 아련하게 느껴진다.

인민재판은 한국전쟁이 준 또 다른 큰 상처였다. 곡식이 있어도 먹을 수 없었다. 맨날 인민군이 와서 퍼갔다. 그래서 마구간을 다 치우고 그 속에다 여섯 가마니를 묻어 놨다. 이걸 방앗간에 가서 찌야 먹는데 인민군 패거리들 때문에 방앗간에서 안 쪄 주었다. 그들은 인민군 패거리라기보다 동네 사람들이었다. 촌사람한테 완장 하나씩 차주니까 너무 뛰어노는 거였다. 그 사람들은 잘사는 사람을 가만두지 않았다. 그 사람들은 손바닥을 봐서 손이 고운 사람은 다 잡아갔다. 손에 굳은살이 박인 사람은 고생했다고 안 잡아가고, 손이 고운 사람은 고생을 안 하고 '남의 피 빨아 먹었다'고 잡아갔다. 가게를 하던 옆집 아저씨는 네 귀퉁이 나무에 묶여 사지가 찢겨진 채 불에 타서 죽었다. 인민군들이 그렇게 잔인하게 많은 목숨을 죽였다.

"말도 못해요. 지금 애들 아무도 몰라. 그래 내가 이 말을 왜 해주냐면 우리 2세들이 알아야 돼. 알아야 되기 때문에. 너무너무 기가 막혀가지고. 그렇게 해서 한두 사람이 죽은 게 아니야. 눈만 뜨고 나면 죽어. 눈만 뜨고 나면."

그녀의 아버지가 인민재판에 부쳐져 죽을 뻔했는데, 인민군 대장이 그녀 집에 와서 그녀의 엄마한테 미싱 틀이 있으니 옷을 꿰매 달라고 했다. 그녀의 어머니가 "이북은 교회가 없냐?"고 묻자 인민군 대장이 있다고 말하니, **"그럼, 교회가 사상을 가지고 믿는 거냐? 나는 우리 애들 잘 기를라고 교회를 댕겼지, 나는 사상도 아니고 아무것도 아니다. 우리 애들 어떻게 잘 가르치나, 교회를 가니까 참다운 것**

을 많이 가르쳐야지, 나는 교회 진리도 모르고 우리 애들 땜에 교회를 나갔는데 우리 아저씨를 이남 물이 들었다고, 미국 물이 들었다고 인민재판에 부쳐 가지고 죽인다고 데려갔다." 이렇게 하소연했다.

이어 방앗간에서 쌀도 안 쪄줘 배곯아 죽겠다고 하니까 곱상하게 생긴 인민군 대장이 걱정 말라며 아버지 이름을 물었고, 이후 그녀의 아버지를 꺼내올 수 있었다. 그리고 방앗간에서 금방 쌀도 쪄왔다. 그녀는 인민군 덕을 봤다며 좋은 인민군도 있구나 생각했다.

또 한번은 진산 오대산에서 겪은 일이다. 대둔산에 빨갱이가 굴 파고 서캐 끼듯 한 거였다. 그녀의 큰아버지가 붙들려갔다고 했다. 큰아버지는 그 밑에서 살았는데 동네가 발칵 뒤집어졌다. 큰아버지는 농사를 지었는데, 소 한 마리 몰고 쌀 한 가마니 메고 인민군의 감시를 받으며 산으로 올라갔다. 산을 거듭 돌고 돌아서 가더니만 인민군이 바윗덩어리 하나를 꺼냈다. 그 안을 보니까 큰 굴을 파서 인민군들이 거기다가 볏짚 깔고, 피란 간 사이 가져간 이불로 덮을 것만 빼고 몽땅 다 깔고, 애기도 낳고 그랬단다. 그야말로 이 집 저 집의 소를 잡아다가 국을 끓였다. 한 그릇 먹고 가라는 인민군의 말에 큰아버지는 먹으면 배탈이 난다고, 자신을 죽일까 봐 바보처럼 대답했다. 동무 집에 찾아갈 수 있냐고 묻자 어디로 찾아왔는지 모른다고 하니까 집에 가라고 해서 저녁때가 되어서 정신없이 돌아온 거였다. 길을 하도 꼬불꼬불하게 가서 집을 못 찾다가 살아온 큰아버지였다. 그래서 그녀의 집안은 6·25 나고 육촌 당숙만 한 분 돌아가시고 하나도 안 죽고 살았다고 한다.

인민군들이 하도 후벼가서 쌀을 두고도 못 먹었다. 6·25 나고 나서 미군들이 알래미쌀(안남미)을 주었다. 그녀는 미국을 잊지 말아야 한다고 말한다. 농사를 져야 우리네도 팔아먹을 수 있는데, 피란 다니느라 도무지 농사를 지을 수가 없었다. 그리고 또 인민군들이 맨날 다 뺏아가니 하나도 먹을 수가 없었다. 삶으면 잔뜩 부풀어올라 이만한데, 많이 주는 것도 아니었다. 알래미쌀은 힘이 하나도 없었다. 미군들이 주면 그것을 갖다가 죽 끓여먹고 해서 살았다.

또 한참은 국방군이 왔다. 국방군이 오면 어디서 밥을 해먹어야 하는데 해먹을 수가 없었다. 그러니까 동네 구장에게 몇 집을 시켜서 밥을 하라고 그랬다. 그녀의 집은 삼십 명 분을 해야 했다. 그녀의 어머니는 국방군이어서 밥을 해줬다. 쌀만 주기 때문에 반찬은 어머니가 해대야 했다. 그러면 앞집 두부집에서 비지를 얻고 시래기를 삶아다가 국을 끓여서 '바께쓰'로 몇 개를 가지고 가고, 보리차를 끓여서 가지고 갔다. 어린 그녀는 어머니를 따라 보리차를 들고 갔다. 가니까 군인이 그녀더러 몇 살이냐 묻기에, 열두 살이라고 그러니까 군인이 안으려고 했다. 그때 한창 사춘기에 접어들었는지 그녀는 그게 그렇게 싫은 거였다. 군인은 그녀 어머니가 이것저것 해다 먹이니까 고마워서 건빵을 주려는 것이었으나 그녀는 안 받았다. 싫다고 안 먹는다고 그러니까 부하를 시켜서 한 보따리 갖다주라고 그랬다. 그런 기억들이 그녀에게는 너무 험했다.

대전에는 대흥동만 폭격을 안 때렸다. 그녀의 아버지는 사기그릇과 옹기그릇 같은 걸 떼어다가 팔았다. 어머니가 인심을 안 잃었는지 동네 사람들이 농사지은 거보다 더 많이 가져왔다. 그렇게 얼마 있다가 그녀의 아버지가 대전으로 물건을 떼러 왔는데 그때 휴전인지 뭔지는 모르겠는데, 큰일 났다고 했다. 귀가 새파란 사람들을 실은 트럭 삼십 대가 산내면으로 가더라는 거였다. 청년들을 다 갖다 죽인 거였다. 그녀는 못 봤지만 대흥동 앞 시냇물에 붉은 물이 내려왔다는 이야기를 들었다.

"지금도 해골 나와요. 거기서. 그렇게 많이 죽였어, 거기서. 조금 부자로 산다, 경찰 가족, 뭐 어쨌다는 사람은 무조건 데려다 죽였어. 무조건 갖다가. 말도 못했어. 그네들은 떠나가면서 죽이구 그랬어, 떠나가면서. 그래 그때 우리 어머니가 연산이 친정이었어. 그래 어머니가 안 오셔서 대전역전에 가서 어머니를 기다리면 역전에 피란민들이 가마니만 깔고 쪼옥~ 들어앉어 있어. 드러눠 있으면 누가 쌀 한 가마니를 예를 들어 이렇게 놨잖아? 그럼 열댓 살, 열두 살 먹은 애들이 자루다가 요롷게 (뾰족하고 길쭉한 모양) 생긴 걸루다가 푹 찔르면 거기서 쌀이 쑥 쏟아져나와. 먹구 살라니까 맨 도둑이 우글우글했어. 그렇게 살았는데. 조롷게 조 할머니

마냥 조롱게 앉고 뒤에 이렇게 앉았는데 (가까운 거리에 앉아서 서로 모르고 피란민 대열에 끼어서 자리를 깔고 누워 있었다는 뜻) 한 이가 뭔 얘기를 해. 메누리(며느리) 얘기를 하는데 젊은 여자가 뻔뜻 일어나더니 자기 시어머니인 거야. 거기서 만나서 막 울구. 피란 와서 서로 헤어졌는데 거기서 만났어."

미군의 구호물자라고 있었다. 군인들이 전쟁하다가 옷이 다 떨어지면 그걸 염색해서 민간인한테 팔았다. 그런 걸 입고 살았다. 우리는 진짜 미국을 져버릴 수가 없고, 지금 모르는 사람은 모르지만, 미국 아니면 우리 다 죽었다고 그녀는 말한다. 그 알래미쌀, 수수쌀, 우유, 약, 분유를 얼마나 갖다 주었는지, 그렇게 해서 먹고 살았다. 그녀의 어머니가 계시면 더 자세히 알려줄 텐데 열두 살짜리 기억력이라 못내 아쉬운 듯하다.

그때에는 너무 처참했다. 우리가 너무 아무 생각도 안 한 채 그냥 당한 거라고 그녀는 생각한다. 미국서 탱크를 가져와서 칼빈이니 엠완(M1) 총이니 쏜 거였다. 차츰 우리도 준비를 했으니 안 당했다. 그리고 인민군들은 비 오는 날, 눈 오는 날, 일요일

날, 크리스마스 날에 우리가 해이할 때만 작정을 하고 쳐들어왔다. 그런데 우리는 나중에서야 알았고, 그렇게 처참하게 당했다고 기억한다.

지금 대전경찰서가 대흥동…, 거기 은행동(대전시 중구 중촌동에 있는 구 대전형무소)의 우물이 무지무지 깊었다. 그런데 시체를 꼭대기까지 넘치게 집어다 넣었다. 그것도 직접 보지는 못했는데 그녀의 아버지가 보고 와서 얘기해 주었다. 그때는 눈만 뜨면 길바닥에 시체가 보였다. 굶어서 죽고, 피란민하다가 어려워서 죽고, 애기가 그냥 말라서 죽고 진짜 말도 못했다. 그러니까 배 안 고프려고 요만한 꼬챙이만 있으면 다 뽑아서 팔아다 먹고 도둑이 우글우글했다.

빨치산이다, 오대산이다 첩첩이 있었는데, 맨날 네 식구가 와서 폭탄을 메어 가지고 왔다. 그렇게 아래서부터 북한 사람들을 모두 소탕했다. 그러지 않으면 밤이면 도둑질해서 못 살았으니까. 너무 무서워서 다들 대전으로 이사 왔다. 그때는 이북 사람들은 공장 기계만 보면 다 뜯어갔다고 한다. 망하게 하려고 그랬는지, 아니면 자기네 나라로 갖다 바치

려고 그랬는지 모르겠지만 방앗간이면 방앗간, 무슨 공장 기계라면 다 뜯어갔다. 인민군들이 오면 엄마들을 다 데려다가 땅굴 파라고 시켰다. 왜 그렇게 땅굴을 파라고 했는지 맨날 땅굴을 파야 했다.

진짜 그때 너무 엄마들이 고생을 많이 했다. 엄마들이 아니면 자식들은 다 죽었을 것이다. 그때 남자들은 다 붙들려가거나 죽었기 때문이다. 그러니까 엄마 혼자서 가족들의 생계를 책임져야 했다. 그래서 어머니가 강하다고 하는 것이다. 엄마 혼자 농사짓고, 뜯어다 애들 먹이고, 고구마 한 가마니라면 반 쪼가리씩 먹여 가며 안 굶기려고 그랬다. 눈만 뜨면 거지가 하루 열 명씩 왔다. 피란민들이 살아야 했으니까. 그녀의 어머니는 인정이 많아서 한 젓갈씩이라도 퍼서 먹였다.

어느 날 뒤따라가지를 못하고 점령이 돼서 파병이 된 대여섯 명의 국군 파병이 그녀 집으로 들어왔다. 그들은 보급품을 못 받아서 먹을 게 없었다. **"아지매, 배가 고파요, 밥 좀 주세요."** 어머니는 그들을 감춰놓고 밥을 해줬다. 깎아서 먹을 수가 있는 고구마와 누룽지도 주고, 없는 데도 있는 만큼 싸서

줬다. 그중 한 사람이 대구인가 부산의 제일모직 사장의 아들인지 손자라고 했다. 한참 후에 대전에서 그를 우연히 만났다. 어머니는 그를 잊고 있었지만, 그는 기억하고 알아보았다. 어머니가 아니었으면 자신은 굶어죽었다며 그때 고마웠다고 절을 하였던 기억이 난다.

6·25 나서 엄마 세대들은 너무 고생을 많이 했다. 그이들이 아니라면 나라가 설 수가 없었다. 엄마들은 오로지 자기 배는 곪아가며, 고구마 하나 가지고 쪼개 먹여가며 자식들 굶기지 않으려고 그렇게 고생을 하셨다. 지금 노인네들 우대를 해주라는 것도 바로 그 때문이다. 노인 양반들은 그것도 미안해서, 나라가 잘돼야지 이거 받기 미안하다, 그 정도로 나라를 생각하고 있다고 말한다. 그녀의 어머니는 후덕하였다. 슬프게도 어머니는 마흔다섯이라는 이른 나이에 돌아가셨다.

전쟁은 시대의 폭력이다. 생명과 인간 존엄을 파괴한다. 6·25는 진짜 잊지 말아야 된다고, 남침이지 북침이 어디 있냐고 그녀는 거듭 말한다. 구술하는 내내 그녀는 인민군을 '빨갱이'라고 호명했다. 열두 살 소녀가 뚜렷하게 경험한 총알의 소리, 삶과 죽음의 현장에 내몰린 두려움과 공포, 아군과 적군을 식별해야만 하는 경계, 굶주림을 벗어나 살아남기 위한 몸부림, 폐허 속에서도 피어난 인정과 모성애를 여든둘의 그녀가 아프고 선명하게 떠올린다.

역설적으로, 폐허 속에서도 휴머니즘과 고통을 위무하는 작고 낮은 인정과 연대는 공존한다. 한국전쟁을 기억하고 현재화하는 일은 소중한 작업이다. 전쟁을 겪은 '그/그녀의 목소리'를 잊지 않는 것이 우리의 삶을 이해하고 지속 가능하게 하는 힘이다. "내 말은 내 얘기여, 내 얘기. 내가 겪은 대로 한 거여." 뇌리며 가슴에 깊이 새겨진 두려움과 공포에 떨던 유년 시절의 시간과 장소들. 그리고 사랑하는 사람들의 이름과 목소리와 눈빛들. 6월 뜨거운 햇볕에서도 그날의 기억은 서럽도록 시리게 다가온다. 상처의 날들을 육성으로 전하는 이 생존의 이야기를 어찌 잊을 수가 있을까. 한국전쟁에서 살아낸 사람들과 그 경험을 기억하는 일, 그것이 우리가 함께 살아가고 있다는 현재적 의미일 것이다.

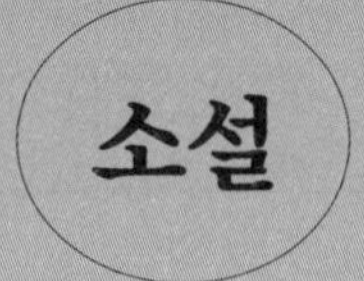
소설

사람의 전쟁

김병호

바람이 불자 공주경찰서 마당에는 서풍을 타고 한산 넘어 들이닥친 금강의 물비린내가 훅 올라왔다. 지긋지긋한 여름도 한풀 꺾였는데 이놈의 비린 물냄새는 난리통에 더 기승을 부렸다. 누군가는 난리에 영문도 모르고 죽어간 사람들의 피냄새가 고여 올라오는 것이라고 중얼거렸고 누구는 살아남은 사람들이 숨어 뱉어놓는 한숨이 배어 그렇다고도 했다.

손이 뒤로 묶인 채 경찰서 마당에 주저앉아 있는 배경욱은 이제 통증도 느끼지 못하는 몸뚱아리가 물비린내를 맡고는 이런저런 생각을 하고 있는 사실이 좀 우스웠다. 경욱의 앞에서 몽둥이를 들고 씩씩거리는 앳된 경찰의 땟국 앉은 윗옷은 다시 온통 땀으로 젖어 있었다. 모습으로만 보자면 당하는 사람보다 매질하는 사람이 더 힘들어하는 판이었다. 산마다 죽은 몸 찾기 어렵지 않은 시절에 매질 정도는 구경거리도 못 되었지만 마을 사람들 십여 명이 앉고

서 멀찌감치 둘러 있었고 아이들은 더 멀리 나무그늘에 숨어 멍한 눈으로 비명도 없는 매질을 바라보고 있었다.

“빨갱이 몸속에는 구랭이가 사는 게벼유?”

머리에 흰 수건을 두른 한 아낙이 쭈그리고 앉아 중얼거렸다. 매질에 뻘겋게 두드러진 피멍자국이 경욱의 몸 여기저기를 휘감고 있는 모습을 보고 한 말이었다. 얼핏 봐도 낯이 설은 아낙이라고 경욱은 생각했다. 아마도 난리가 났을 때 서둘러 마을을 떴다가 수복되었다는 소문을 듣고 돌아온, 군인이나 경찰 가족들일 터였다. 아니 촌이 아니고 읍내이니 모두가 모르는 얼굴일 거라고 생각을 고쳐먹었다. 그러나 이제 어떤 풍경도 의미가 없었다. 옆으로 고꾸라진 경욱의 눈앞에 마암리 집에서 안절부절못하고 있을 아내 광순의 얼굴이 떠올랐다.

추석날인 9월 26일이었다. 모 심다 새참 먹듯, 후다닥 차례를 치르고 난 마을은 다시 뒤숭숭했다. 그나마도 드문드문 빈집에서는 군불 연기 한 점 오르지 않았다. 15일에 미군이 인천으로 상륙했다는 소문이 난 지 며칠 만에 국군과 미군이 파죽지세로 올라온다고 했다. 인민위원장을 비롯해 몇은 여름에 캔 감자 보따리를 둘러메고 한밤중에 마을을 떠났다. 식솔들에게는 내일모레면 돌아올 것이니 걱정 말라는 말을 던지기 무섭게 고무신을 꿰찼을 것이다.

광순은 무릎을 끌어안고 발목 아래 치마를 다잡아 바짝 다가앉으며 목소리를 낮췄다.

"님자도 어데 잠깐 몸을 감춰야 허는 거 아녀유? 미군들이 논산 지나서 계룡면까지 왔다구들 난리든디. 님자가 아무리 넘들헌티 욕 안 잡수구 살았다 혀두 면에서 치안대 부대장꺼지 혔잖유."

그날 밤 경욱은 평소답지 않게 버럭 소리를 질렀다.

"글씨 내가 지은 죄가 있어야 도망을 가든가 말든가 헐 꺼 아녀? 내가 헌 일이라고는 마을서 사람들 폭폭한 일에 나서 도와준 게 다여. 봐봐, 어떤 놈이 내헌티 손가락질허는 거 봤어?"

"말허믄 뭐 혀유. 다 알쥬. 그려두 난리통에 뭔 일이 생길지 모르니께유. 난리 나던 유월에 봐유. 그 많은 사람들이 끌려가 죽었는디, 그 사람덜은 뭐 큰 죄 있었간디유? 뭔 일이 날지 모르니께 하는 말이쥬."

아내가 비 젖은 종잇장마냥 수그러들자 경욱도 목소리를 한풀 꺾으며 한숨을 뱉었다.

"내가 나 살자구 도망가버리믄 당신하고 애덜, 또 저기 나하구 일가들헌티 먼 해코지가 돌아갈지 몰러. 내가 여그 있어야 혀."

그렇게 짧은 밤이 가고 해가 떴어도 마을은 조용했다. 그리고 며칠이 지났다. 미군의 본진은 바로 대전으로 향했다는 소문이 돌았고 그날 저녁 마을에 미군들이 들어왔다. 군데군데 땜빵이 났지만 그래도 누렇게 이삭 패인 논길 가운데 신작로였다. 걷는 이도 없지 않았지만 대부분 트럭 위에서 총을 메고 뛰어내렸다. 인민군과의 전투랄 것도 거의 없이 빠른 속도로 북진 중이었다. 인민군 대부분은 서둘러 북으로 철수하였고 여기에 합류하지 못하고 처진 군인이나 부역자들은 대둔산이나 계룡산에 숨어들었다. 그마저도 산이 깊지 않아 얼마나 버틸지 알 수 없는 일이었다.

경찰들이 군홧발로 경욱의 방문을 열어제낀 때는 다음 날 동도 트지 않은 식전이었다.

그렇게 끌려와 설마 했던 매질이 시작되고 허리가

끊어지고 살이 터지는 고통이 시작되었을 때만 해도 잠깐 후회가 일었다.

'순둥이 여편네 말을 들었을 것을.'

그러나 이마저도 뼈가 부러져 나가는 통증에 바로 잊혔다. 매질하는 사람들은 뭐 딱히 듣고 싶은 말도 없는 것 같았다. 일단 때리면 죄가 나올 것이고 그러면 알아서 불 것이라고 생각하는 것 같았다. 때리는 경찰이 한숨 돌리는 사이 경욱의 정신은 깜박깜박 켜졌다 꺼지기를 반복하고 있었다.

'이러고 한 사십 년 살었으면 이제 시상에 뭐 큰 불만 읎는 겨. 애덜이나 평안한 시상에서 잘 커야 할 것인디. 이렇게 아무 이유 없이 서로 죽고 죽이는 난리통은 없이 살아야 헐 것인디.'

정신줄은 아슬아슬했다. 정신이 떠나면 몸도 풀어질 일이었다.

'똥구멍 열리믄 죽는 겨. 아무리 죽것어두 거기 붙잡고 있으믄 죽지는 않는 겨.'

경욱은 어릴 적 아버지의 얘기가 떠올랐다. 금강에 빠져 죽은 사람을 건져놓고는 중얼거리던 얘기였다. 순간 아버지가 옆에 있는 것 같아 껌벅 실눈을 뜬 경욱은 멀리서 풀풀 날아오르는 먼지를 보았다. 멀리 계룡산을 바라는 길 위에서 군용 지프 한 대가 냅다 달려오고 있었다. 점점 키를 키우는 흙먼지가 흡사 지난겨울 계룡산에서 춤췄던 산불 같았다. 두 해 전인가, 공산성에서 반탁 시위를 하던 봉홧불 같기도 했다. 그러나 지금 경욱을 구해줄 사람은 세상천지 하나도 없었다. 생각이 여기에 미치자 오히려 마음이 편안해졌다.

지프는 어느새 경찰서 대문 앞에 멈췄다. 따라오던 흙먼지가 지프를 앞질러 갔다. 차문이 열리고 군인이 한 명 내렸다. 그리고 또 한 명. 남측 군인 둘 모두 M1 소총을 메고 경욱에게, 아니 경찰들에게 뛰어 다가왔다. 그때 경욱의 눈에는 유독 먼지 낀 군화만 크게 보였다. 모두가 군화였다. 난리 나자 마을을 뒤져 사람들을 끌고 가던 군인들도, 얼마 후 마을에 들어온 인민군도, 트럭에서 내리던 미군들도, 조금 전까지 경욱의 몸에 발길질을 하는 경찰들도, 그리고 경욱도 한때 저 군화를 신고 있었다. 그러고는 맨발들이었다. 구경 나온 아이들의 맨발을 바라보다가 경욱의 정신은 다시 촛불처럼 꺼졌다.

*

"비가 하늘 뚫렸다 오는디 또 어디 갔다 오는규? 이 밤에, 또 거기지유? 사람덜이 빨갱이부락이라고 허든디."

"허 참, 이 냥반 말본새 보게. 민주부락이여. 민주적으로 시상 돌아가는 얘기를 허는 사람덜이 모인 곳이여. 우리가 촌구석에 살고 충분허게 배우지는 못혔어도 시상 돌아가는 법은 멀찍허니라도 알고 살아야 혀. 이북이 어찌 돌아가는지, 떼놈들하고 쏘련이 무슨 생각을 허는지, 미국은 또 뭐 하는지."

"아니, 당장 여그 땅이 이만치 소란스럽고 뭔 조홧속인지 알 길이 읎는디, 넘의 나라 걱정이 다 뭐시간디유?"

이른 장마였다. 삐걱이는 미닫이를 잡아채고는 흠뻑 젖은 낡은 두루마기를 벗어 거는 경욱을 마저 기다리지 못하고 아내 광순은 바투 몰아세웠다. 잦아지는 남편의 늦은 밤마실 때문만이 아니었다. 엊그제 일요일, 그러니까 25일 아침 라디오를 들은 마을 사람들의 불안을 그대로 나누었기 때문이었다.

“38선에서 난리가 났다고들 웬통 다 난리유. 이북 괴뢰군이 쳐내려온다잖유.”

“기둘려 봐. 옹진 쪽에서는 맨날 싸우고 그려잖여. 올라갔다 내려왔다, 맨날 있는 일일 겨. 좀더 두고 봐야제.”

경욱은 며칠 전부터 민주부락 회합에서 은밀하게 나오는 전쟁에 대한 언질을 들어 짐작은 하고 있었다. 그러나 그 규모가 어떨 것이며 시기가 언제가 될 것인지는 알 수 없었다. 전쟁이 어떻게 전개될지, 세상을 어떻게 바꿀 수나 있을지 예측할 수 없는 일이지만 전쟁이라는 것은 언제나, 누구에게나 바닥부터 불안한 것이었다.

비장함이 감도는 민주부락 회합에서부터 돌아가신 어머니의 말씀이 살아나 경욱의 귓가를 맴돌고 있었다. 대나무숲 같은 빗줄기를 헤치면서 어둠을 되짚어 집으로 돌아오는 어지러운 발길 중에도, 광순의 불안한 눈빛을 바라보면서도 그 목소리는 잦아들지 않았다.

‘웬통 난리 아녀? 그래도 갑오동란은 작은 난리였제. 난리통에는 온통 해괴한 일이 일어나는 겨. 사람 새끼덜이 더 무서운 겨. 워쩌자고 사람덜을 그리 죽여쌌는지. 그때랑은 사람 눈구녕이 아니더라고. 짐승도 그리는 못 햐. 그라니께 난리는 피하는 게 장땡인 겨. 그랴서 피난여, 피난.'

머릿속을 울리던 어머니의 목소리는 어느새 광순의 목소리로 바뀌어 있었다.

"속도 편한 얘기허시네유. 저짝 조치원이구 대전이구 신작로마다 피난 가는 사람들로 난리도 아니래유. 발통 달린 것들로 꽉 찼다더만유. 우마차구, 자동차구 전부 남쪽으로 내려가느라 미어터진다는디. 소 앞세우고 얼라들 들쳐업고 걸어걸어 가는 사람들도 끝 간 디 읎구유. 아무래두 큰 난리 터졌네벼유. 우리는 우짠데유? 읍내에두 서울서 높은 양반들 밀려오는가 싶든디. 없는 짐이라두 싸야 허잖은가유?"

경욱은 축축한 이불을 끌어올리면서 끄응 돌아누웠다.

"좀 기둘러 봐야지. 큰일이야 있겄어?"

소문은 점점 더 흉흉해졌다. 어지간하면 꿈쩍 않

는 충청도 사람들도 안절부절못하고 두리번거리다가 짐 싸 떠나는 사람들이 생기기 시작했다. 두 집 건너 한 집이 밥 짓는 연기가 오르지 않았다. 먼저 떠난 이들은 경찰과 그 가족들이었고 대한청년단 간부들, 면서기, 친일자들도 지체 없이 짐을 쌌다.

그렇게 이곳 사람들이 떠나기도 전에 읍내로 밀려드는 사람들 또한 비슷한 부류였다. 제일 먼저 읍내에 이른 타지인들 또한 군인과 경찰, 그 가족들이었고 고급 관료들과 식솔들의 모습이 보이기 시작했다. 큰 여관에는 서울서 도망 온 아주 높은 양반들도 심심찮게 보였다. 이들은 대부분 지역 토호들에게 식량과 숙소를 요구했고 심지어는 쏴죽일 터이니 전부 내놓으라고 협박하는 경우도 있었다. 읍내 관료와 유지들은 막대한 현금을 빌려 고급 피난민에게 특별한 편의를 제공하기도 했다. 물론 대부분 훗날을 도모하는 장삿속이었다.

7월 6일부터 묵직하게 땅이 흔들리기 시작했다. 강 건너 멀리서 점점 다가오는 대포 소리였다. 쿵, 쿵, 땅이 흔들릴 때마다 사람들의 얼굴에 핏기가 가시기 시작했다. 그렇게 좌익도 우익도 아닌 아무 해당 없는 농사꾼들도 불안을 이기지 못하고 가재도구들을 챙기기 시작했다. 읍내 경찰서장은 경거망동하지 말라고 확성기를 돌려댔다. 그리고 야간에 통행을 금지했다. 해지고 돌아다니는 사람은 총을 맞을 것이라는 협박도 잊지 않았다.

8일 밤부터는 읍내고 촌이고 간에 말 그대로 적막강산이었다. 9일이 되자 수상한 기운이 감돌았다. 각 마을별로 좌익 활동자 예비검속이 실시되었고 분소별로 보도연맹원들을 소집하였다. 그리고 군용 트럭들이 사람들을 실어 나르는 모양이 여기저기서 보였다. 경욱은 잠시 몸을 숨겼다가 다음 날 아침나절 집을 나와 슬며시 금대 민주부락으로 향했다. 자전거를 두고 일부러 산속을 지나는 외진 길을 택해 걸었다. 숲길에는 대포 소리에 놀라 숨었는지 새소리도 들리지 않았다.

마을에 다다르기 전 숲길에서 금대에 사는 정익철과 회합에서 보았던 남자 둘을 만났다. 사람들 앞에서 대놓고 얘기하기 어려운 주제가 있을 때 마실 겸 모이는 외딴 장소였다. 정익철은 20대의 젊은 나이임에도 모든 상황과 배경을 냉철하게 분석할 줄 아는 청년이자 마을의 사상적 리더였다.

"형님 이짝으로 오실 줄 알았슈."

정익철은 낮은 목소리로 주위를 살피며 경욱을 반겼다. 경욱이 근심스러운 표정으로 다가가자 세 남자는 다시 바위에 엉덩이를 붙였다.

"가차이 다가오는 대포 소리 말고는 너무 조용헌디, 불길혀. 마을에 뭔 일 있는 겨?"

경욱이 묻자 익철은 숨을 가다듬으며 짐짓 한숨 건너 입을 열었다.

"보도연맹원들 몽땅 소집했슈. 뭔 사정인지 어디 가는지 일절 설명도 읎이 트럭에 실어 냅다 가버리든디."

"우리 형님두 '뭔 일이야 있겄냐?' 이러구 따라갔는디. 그래도 글치 보도연맹원이 뭔 죄가 있다구 끼니마다 불러대구 지랄인지 모르것슈. 아니 보도연맹원이 뭐유? 다들 인자 좌익 안 헌다구 맹세허구 전향한 사람덜 아뉴? 그람 이름맹키로 보호허구 지도혀야지 왜 오랏줄로 굴비모냥 엮어서 도락꾸에 끌고간대유."

같이 있는 남자를 익철은 상두라고 불렀다. 상두

는 조바심에 몸을 부르르 떨면서 벌떡 일어섰다. 그 참에 더 가까워진 포 소리가 땅을 흔들기 시작했다. 나무도 잔가지들이 부르르 떨었고 달린 지 얼마 되지 않은 상수리 이파리들이 떨었다.

"아우님, 뭔 일 없을 겨. 군인이고 경찰이고 시방 도망가기 바쁠 때인디. 그 많은 사람들 영 끌고 가지는 못할 겨. 글구 데리구 가 뭐할 겨?"

경욱은 안심이라도 시킬 마음으로 말을 꺼냈지만 익철이 바로 말꼬리를 잘랐다.

"라디오에서 들으믄 국군이 미군이랑 여그 금강에다가 방어선을 맹글어 인민군들을 격퇴할 거라고 떠들더만유. 낼부턴가는 동네 사람들 끌어다 강변에다가 참호공사 한다 카든디."

"그라믄 왜 대전 나가는 도로는 막았대유? 뭐시막 왔다갔다 해야잖유?"

"거까정은 알 길이 읎고만. 그나저나 해 떨어지기 전에는 마을에 들지 말어들. 조심혀야지. 알것어?"

나이가 한참 윗길인 경욱도 해줄 수 있는 것이 아무것도 없었다. 뻔한 당부나 마치고 다시 천천히 길을 잡아 집으로 향했다. 경욱이 사는 마을은 작은 마을이라 위기감은 덜했지만 경욱을 바라보는 마을 사람들의 시선을 생각하면 잠시 떠나 있는 것도 서로를 위해 옳을 듯했다. 평소에는 '선상님, 선상님'이라고 부르며 인텔리 대하듯하지만 엉뚱한 일이 벌어지면 좌익이라고 고해바칠 수도 있었다.

13일 낮부터는 마을에 인민군 포탄이 떨어지기 시작했다. 겨우 아침 숟가락을 내려놓을 때였다. 하늘이 찢어지는 비명이 나더니 천지가 터지는 소리와 함께 뒷산자락이 벌떡 일어나 집을 움켜쥐고 흔들었다. 혼비백산할 틈도 없었다. 아이들에게 솜이불을 뒤집어씌워 방구석에 밀어놓고 경욱은 맨발로 뛰어나왔다. 언덕 너머 선산 묏자리 쪽에서 검은 연기가 오르고 있었다. 다행히 마을 인근 논과 산에 몇 발이 더 떨어지고는 점차 금강 쪽에 집중되는 것 같았다. 경욱은 집 주변을 둘러보았다. 어디 크게 무너진 곳이 없는지 살피고는 광순과 아이들을 어르고 달랬다.

그렇게 밤이 되자 비행기 소리가 이어지고 다시 폭음이 들렸다. 비행기 소리와 폭음은 몇 차례 이어졌다. 다음날 그것이 금강철교를 끊으려는 미군의 폭격이었다는 사실을 알 수 있었다. 전황은 누가 봐도 인민군의 등등한 기세였다. 새벽녘 경욱은 뒷산에 올랐다. 묘지를 살피고는 서쪽 능선에 올라 논산으로 이어지는 신작로를 눈으로 더듬었다. 어둠이 덜 걷힌 신새벽 아래 숨어 많은 트럭과 포 들이 줄지어 후퇴하고 있었고 이들 뒤를 보병들이 두 줄로 이어져 긴 행렬을 만들며 따랐다. 세상이 바뀌고 있었다.

*

인민군이 들어왔어도 해는 어제 떴던 바로 그 해였다. 촌마을은 그렇게 잠잠했다. 세상이 변했어도 밥은 먹어야 했다. 마을은 그런 세상을 핑계로 그저 밭에 숨어 있고 싶어하는 사람들처럼 보였다. 면에서는 인민위원회가 구성되었고 정익철이 위원장이 되었다는 소문이 들렸다. 경욱은 일부러 사람들이 모이는 자리에 나가지 않았다. 배가 오른쪽으로 출렁이면 되튀어 반드시 왼쪽으로도 크게 흔들리는 것이 세상 이치였다. 풍랑에서 살아남으려면 중심을 잘 잡아야 했다. 그사이 익철은 조용히 인편으로 경욱의 의사를 물어왔다. 면의 치안대 부대장을 맡아 달라는 전갈이었다. 그러나 경욱은 더 나은 사람이 맡아야 할 자리라고 정중하게 사양했다. 경욱이 중심을 잡는 방법이었다.

7월의 마지막 날 아침이었다. 마을에 트럭 한 대가 들어와 경욱을 찾았다. 상두였다. 상두는 거의 울상이 되어 사립문을 나선 경욱의 팔을 꽉 잡았다.

"지허구 같이 좀 가줘야 쓰것슈, 아저씨. 우리 형님 찾은 거 같아유. 근디, 근디, 숨 붙은 몸뚱아리가 아닌게뷰. 어째야 쓴데유 어째야 쓴데유?"

"아니 뭔 소리여. 뭐가 붙고 뭐가 떨어진다고?"

"왕촌 고무래산 살구쟁이라네유. 거 뒤 중동골 사람들 허는 얘기 들었슈. 우리 형님 끌려간 날 거서 콩 볶듯이 총소리가 났다구유. 징글징글허게 온종일 그랬다네유."

트럭 뒤에는 면 인민위원회 사람들인지 서넛이 몇이 소총을 지팡이 삼아 짚고 서 있었다. 가보지 않을 도리가 없었다.

왕촌 고무래산은 금강 남쪽 길을 따라 공주로 들어가는 길에 오 리 정도 못 미쳐 있었다. 산이라기보다는 언덕 정도의 풍채인데 안으로 드는 길은 제법 탄탄했다. 강변을 등지고 산길에 들어 2분 정도 흔들리며 달리던 트럭은 멈췄다. 화물칸에서 사람들이 내리자 위쪽 숲에서 중늙은이 한 사람이 한 뼘짜리 곰방대를 물고는 쭈그리고 앉아 손짓을 했다. 미리 약속이 된 사람 같았다.

마을 사람을 따라 잠깐 경사를 오르는 동안 산은 애써 상처를 감추지 않았다. 제일 먼저 불안을 보여주는 징후는 산을 뒤덮은 파리떼였다. 앞이 보이지 않을 정도로 허공을 꽉 채운 파리들은 사람을 무서워하지도 않았다. 바닥 또한 기어다니는 파리와 죽은 파리들로 풀이 보이지 않을 정도였다. 여름 대낮임에도 모기도 기승을 부렸다.

그렇게 십여 미터를 올라 언덕 위에 올라서자 세 개의 긴 구덩이가 있다는 사실을 알 수 있었다. 대충 흙으로 덮어놓았으나 살냄새를 맡고 꼬인 온갖 벌레들이 구덩이의 모양을 그대로 말해주고 있었다. 모두 코를 막고는 반사적으로 뒷걸음질을 쳐야 했다. 앞서 총을 메고 있던 청년이 움칫 발을 옮긴 자리가 출렁거렸다. 땅이 출렁거리며 꾸럭꾸럭 소리가 났다. 땅속에 뭔가 있었다. 비명도 지를 수 없었다. 상두는 그 자리에 주저앉아 넋을 놓아버렸다.

"여그가 우리 형 무덤인 겨? 여그가 증말 무덤인 겨? 이 구댕이에 사람들이 있는 겨?"

할 말을 잃고 멍하게 서 있던 시간이 얼마인지 기억하지 못했다. 그 출렁거리는 땅 위 여기저기에 반짝이는 것들이 널려 있었다. 색도 변하지 않은 새 탄피들이었다. 군인들이 쓰는 M1 소총 탄피가 대부분이었고 좀 작은 것은 칼빈 소총 탄피였다. 이것은 경찰들이 쓰는 총으로 간혹 대한청년단 같은 우익 청년단원들이 들고 있었다. 빈 곰방대를 연신 빨아대던 노인이 입을 열었다.

"사람 새끼덜이 아녀. 사람 새끼덜이면 이라고 안 혀. 못 혀."

다시 산을 내려올 밖에 다른 할 수 있는 일이 없었다. 트럭 그늘에 주저앉아 모두가 하늘만 바라보고 있었다. 노인은 누가 묻지도 않은 말을 혼자 중얼거리기 시작했다.

"아침나절부터 도락꾸가 연신 사람덜을 실어 나르는 겨. 내가 저짝 나무 타고는 몰래 봤다니께. 짐칸에 꼬쟁이맹키로 꽂아서 대가리를 처박고 앉았는디 사람덜이드라니께. 후딱 봐두 사십 명은 족혀, 한 대에. 해질 때까정 도락꾸가 왔다 뺐다 허는디, 그런 공사가 읎어. 쪼매 있으면 콩을 볶는 겨. 총소리여. 도락꾸 들어오고 쪼매 있으면 그랴, 콩 볶는 겨. 그라구 나믄 탕, 탕, 한 발씩 쏘는 총소리가 있어. 혹시 살았는개비 다시 확인으루다가 쏘는 겨. 대개 군인들이 그라고, 갱찰노무 새끼덜두 있었어. 청년방위댄지 뭔지 시퍼렇게 젊은 놈덜두 있었는디, 그놈덜은 삽질을 혔어. 지대루 죽었는지 보덜 않구 걍 묻는 겨. 그날이 초나흘이었을 틴디 열댓 번인가, 도락꾸가 들락거린 것이. 요즘 여그 동네 사람덜, 개를 다 묶어놨다니께. 개덜이 하두 산으로만 올라갈라 혀서 단속이 여간 대간혀."

얘기가 끝났는지 안 끝났는지, 언제부턴가 모두 시뻘건 금강을 노려보고 있었다.

"내 이눔들 고마, 내가 맥아지를 다 따야 쓰것는디."

상두의 목소리였다.

*

“난리통에 나서는 것 아녀유, 옛날 어르신들 맨날 허던 말씀 몰러유. 나서다가 패가망신헌다구유. 이 곡절에 대장인지 뭔지 꼭 혀야 쓰것슈?”

광순은 국그릇에 담근 숟가락을 까맣게 잊고는 걱정 그득한 눈으로 경욱을 쳐다보았다. 경욱이 면 인민위원장 익철을 찾아가 고사했던 치안대 부대장 자리를 자신이 하겠다고 뜻을 전달하고 돌아온 것이 지난밤이었다.

“시방 사람덜이 제정신들이 아녀. 내 몸 보신허자구 가만있다가는 사달이 나두 큰 사달이 날 판국인겨. 당헌 사람 분기야 이해허는디, 그렇다고 사람을 해치면 쓰간디. 열흘 굶은 삵쾡이 눈빛으로 돌아댕기는 사람이 많어. 그냥 가면 톱질 나게 생겼다니께. 서로 죽고 쥑이는 톱질 말여. 누구라도 나서야 혀. 동네 절단 나기 전에.”

“근디 그것을 왜 당신이 혀야 혀유?”

광순은 물러설 기미가 없었다. 문간에서 울리는 경욱을 찾는 목소리가 없었으면 남편의 멱살이라도 잡고 주저앉힐 기세였다.

"선상님, 아니 부대장님, 면사무소로 좀 나가보셔야 쓰겄는디유."

"어, 머여? 왔어? 내 금시 나갈 겨."

경욱은 광순의 눈빛을 털고 서둘러 뻣뻣한 치안복에 팔을 넣었다.

반포면사무소를 싸고 도는 용수천에서 물비린내가 타고 올라왔다. 자전거에서 내리던 경욱은 자신도 모르게 중얼거렸다.

"난리통이라 그런게벼, 물냄시가 더 욱신허네."

면사무소 마당에 들어서자 완장을 찬 청년 몇이 경욱에게 인사를 했다. 그들 앞에는 나이 지긋한 영감 다섯이 뒤로 팔이 묶인 채 쭈그려 앉아 있었다. 모두들 두루마기까지 차려입고 있었다. 이내 치안복을 입은 청년 하나가 가까이 다가왔다.

"오셨슈, 부대장님. 보고할 것이 많은디, 여그 일 먼저 처리해야 쓰것네유. 저그 창고에는 양키 군인 포로 넷허구 지주 반동분자 아흔여섯 명을 잡아놨구유. 여그는 이 니들은……."

그때 뒤에서 있던 상두가 앞으로 나섰다. 인민군이 쓰는 보총을 어깨에 메고 있었다.

"지가유 저그 도남리에서 인민의 적들을 잡아왔슈. 인민의 피를 빠는 지주허구 남조선 군인 가족들이구먼유."

그 마을은 조 씨들이 많이 살고 있는 곳으로 경욱도 한두 번 지난 일이 있었다. 그중 상두가 지목한 노인은 면에서도 몇 번 보았는지 영 낯설지 않았다.

"이 냥반은 아들이 남측 국방경비대가 맹길어질 때부터 군대에 들어갔슈. 군인 가족인 거쥬. 뺏속꺼정 반동들이어유."

첫날부터 경욱이 우려하던 일이 눈앞에서 벌어지고 있었다. 경욱은 먼저 상두부터 다잡아야 겠다는 생각이 들었다. 지금 상두는 눈에 보이는 것이 없는 상태였다.

"상두야, 그거 머시여? 그 총은 어서 난 겨?"

"논 가운데서 주섰는디유. 왜유? 모냥 나쥬?"

"그것 먼저 일루 줘바."

"왜유?"

"아, 얼릉 안 가자구 와!"

경욱은 그답잖게 소리를 질렀다. 어린 것 손에 쥐어진 총은 그 자체로 불붙은 기름 같은 것이었다. 상두는 쭈빗거리며 어깨에서 총을 풀어 경욱에게 건넸다. 총은 큰 충격을 받았는지 개머리판이 뒤틀려 조금 빠져 있었고 탄창은 아예 사라지고 없는 상태였다. 노리쇠를 뒤로 잡아당겨 총 안에 실탄이 한 발이라도 남아 있는지 확인하고는 치안대 청년에게 무기고에 잘 보관할 것을 당부했다. 경욱은 답답한 가슴을 내려놓고 차분하게 이야기를 시작했다.

"상두야, 그라고 여그 청년들도 잘 담아 들을 것이여."

나이 어린 청년들은 세상 바뀌고 처음 만나는 치안대 부대장의 말에 긴장하며 자세를 다잡았다.

"쉬운 말루다가 좋은 시상은 사람들이 서로 토닥이믄서 살믄 그것이 천상 시상인 겨. 잘 생각혀 봐. 난리가 났어두 사람이 바뀐 것이지 시상은 안 바뀐 겨. 보드라고. 저짝 계룡산이 난리 났다고 돌아앉기라두 혔나? 여그 용수천이 꺼꾸로 흘르는가? 어제두, 그저께두, 오늘두 그 시상이잖여. 잘 보드라고. 니들이 끌고 온 여그 어르신들, 엊그제까정 동네서 꾸벅거림서 인사허구 안 댕겼남? 여그가 늬들 밥그릇을 뺐었는가? 아니믄 참말루 사람이라도 죽인 겨? 그랴서 서루다가 죽이는 톱질이라두 할 겨? 시상은 사람 머리루다가 역부러 바뀌는 거시 아녀. 아, 얼릉 그 새내끼줄 안 풀을 겨? 다 내가 책임질 일이여."

그날 경욱은 끌려온 마을 사람들을 풀어주고 미군 포로는 군에 인계하라고 말을 심고는 돌아왔다. 양곡 창고로 쓰이던 임시감옥소에서 풀려 나오는 사람들 중에는 경욱의 먼 친척도 있었다. 상투 튼 한학자인 그는 멀리서 경욱을 알아보고는 다가와 지그시 손을 잡았다.

"이렇게 동상 덕을 보는구먼. 시상이 뒤집어질 판국이어두 살살 혀야 쓰는디. 똑똑한 사람들은 다 갔어, 쭉정이들만 남았구먼. 걱정이여. 하여간 고맙네, 동상. 목숨 한 줄 빚졌구먼."

*

별이야 아직 힘이 남아 있는 9월 말이지만 금강을 지나온 바람은 이미 싸늘했다. 끊어질 듯 깜박이던 정신이 다시 살짝 돌아왔고 경욱은 경찰서 마당에 누운 채 언성 높은 소리를 들었다. 조금 전에 들이닥친 군인이 경찰에게 뭔가 요구하고 있었다.

"아니 오뉴월 개새끼두 아니구 사람을 저 지경으로 팬대유. 경찰은 사람 아니래유?"

"뭔 용무랴? 바빠 죽겄는 경찰헌티. 군인은 가서 퍼뜩 빨갱이를 무찌르는 일을 혀야지."

"저 냥반 이름이 워찌 된대유? 배경욱 씨 아닌감유?"

"글씨, 잘 몰르것네. 인공 때 빨갱이 노릇 혔다고 잡혀와서 우리가 취조를 쪼까 허는디 이름이 뭔지까지 알아야 허는가?"

흐린 정신으로 봐도 나이 많은 경찰은 갑자기 찾아와 다짜고짜 드잡이를 하는 젊은 군인이 영 맘에 차지 않는 투였다.

"저 냥반을 뭔 죄가 크다고 저 모냥으로 만들었대유?"

"뻘갱이잖여, 뻘갱이!"

"두 눈 있음 봐유! 어디가 뻘건지?"

"딱 봐두 내 눈엔 다 뻘겋구먼."

"몽둥이루다가 뻘겋게 만든 것이지, 저 냥반이 스스로 뻘건규?"

"참내, 지금도 뻘건디. 참"

경찰의 기세가 말라 가는 억새풀이었다.

"저렇게 아무나 잡아다 뻘갱이 만들믄 내가 이 자리에서 몇 도락꾸는 만들 수 있슈. 워째 경사님부터 시작해 볼까유?"

군인은 어깨에서 M1 소총을 풀어 세 번 탁자를 내리쳤다. 오래된 나무 탁자의 귀퉁이가 바스러져 나갔다. 나이 든 경찰은 움찔 물러섰고 매질하던 젊은 경찰은 어디로 내뺐는지 보이지 않았다.

"경사님이 대승적으루다가 동네 사람덜을 용서하구 포용한 걸루 알겄슈. 고맙네유."

그리고 군인은 쓰러져 있는 경욱에게 다가와 윗몸을 일으켜 세우고 먼저 수통을 입에 대어 주었다.

"지가 도남리 사는 조병익 씨 아덜 조혁재유. 지난 여름에 우리 아부지 살려주셨잖유. 집안의 큰 은인이구먼유. 지가 논산훈련소서 선임하사로 있는디, 아부지가 선상님 잡혀갔다구 연락혀서 총알맹키루 온다구 오는 길인디, 오는 길이 좀 멀구먼유. 뭐 그리 서둘러서 왼통 욕을 보셨구만유. 인날 수 있것슈? 야, 박 상병아, 머혀. 일루 와 지탱혀봐."

* 이 소설에 나오는 기본 정황과 몇 개의 사건은 공주대학교 지수걸 교수의 연구 자료를 바탕으로 했다.

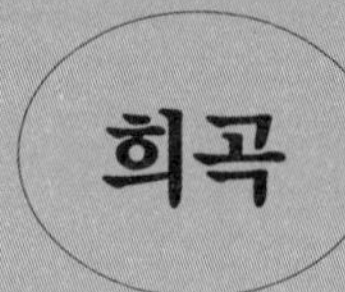
희곡

계란을 먹을 수 있는 자격

정덕재

<등장인물>

여자 (50대 후반/관사에서 가사를 돕는 사람)

남자 (50대 후반/관사의 시설을 살피는 사람)

청년1 (20대 후반/관사 경비병)

청년2 (30대 초반/기관사)

1950년 6월 27일, 한국전쟁이 일어난 지 이틀 뒤 이승만 대통령은 대전으로 급하게 피난을 온다. 대통령이 대전에 오면서 대흥동 충남도지사 관사는 예정에 없는 대통령의 숙소가 되었으며 대전은 임시수도의 역할을 맡는다.

대통령은 대전에 머문 닷새 동안 여러 끼니의 밥을 먹었고 누군가는 밥을 해주었을 것이다. 대통령의 피난에 대한 기록은 남아 있지만 충남도지사 관사에서 대통령에게 밥을 해준 사람과 관사를 관리

한 사람에 대한 기록은 찾기 어렵다. 한국전쟁 발발 70년을 맞아 갑자기 대통령을 맞았던 사람들의 이야기를 가상으로 복원해 본다. 무엇보다 밥은 소중하니까.

무대 한쪽은 부엌이고 다른 한쪽은 마당이자 정원이다. 부엌은 어떤 형식이어도 관계가 없고 계란 몇 개만 놓여 있으면 된다. 마당은 비어 있거나 나무 한 그루가 서 있거나. 남자가 배가 고픈지 배를 쓰다듬으며 부엌을 바라보다가 들어간다.

1

남자　저기 있는 게 뭐지? 예전에 보던 것 같기도 하고, 잊고 지냈던 물건 같기도 하고, 이 사람 오기 전에 한번 들어가 볼까.

남자　(그릇에 담겨 있는 계란을 보고 놀라며) 아니 이건 계란 아녀? (잠시 생각하다가) 계란이 아닌 게 아니라 계란인 거지, 그렇지 계란이 아니라고 하면 안 되고 말고. 계란이니까. (놀란 표정을 진정시키며) 그럼 다시 한번 말해볼까. 아니 이건 계란이잖아. 그럼 계란이지. 근데 여름에 웬 계란이지? 아니지. 아니야 여름에 계란이 없으란 법은 없지. 닭이 계절을 가리면서 알을 낳는 건 아니잖아. 근디 왜 하필이면 여름에 계란이 떡하니 나 보란 듯이 놓여 있는 겨? 나 보란 듯이. 분명 날 보라고 놓여 있는 게 분명혀. (잠시 고개를 갸웃거리며) 가만있어 보자 내가 계란 따위에 흥분하고 있다면 쫌 천박스럽지 않남? 나가 여기서 빗자루질하는 사람이라고 혀도 원래는 점잖은 사람이 거든. 그럼에도 불구하고 이건 흥분할 수밖에 없는 상황이잖여. 지난 설에 본 이후 처음 본 계란이니까. 무슨 엄청난 날이 기다리고 있는 건 분명하단 말여. 가만있어 보자. 도지사님 생신인가? 도지사님 생신은 8월인데. 또 도지사 양반이 계란을 좋아하는 것도 아니고. 그럼 누구지? (다시 고개를 갸웃거리며) 아! 다음 달 27일이 나의 생일이니까, 생일 30일 전을 기념하려고 이 사람이 계란을 준비해놓은 거구먼, 그려, 분명 나한테 마음이 있었던 거여. 마음이…, 이 계란이 증명을 하잖여. 이건 명백한 증거여 증거! 근디 계란찜을 하기도 전에 증거를 들켰으니 이를 어쩐다. 그 위인의 성격을 보면 분명 발뺌을 할 게 분명헌디. 대놓고 나한테…, 사실 제 마음이…, 제 마음이…, 이렇게 말할 위인이 아니지. 아니구 말구. 그럼 이 상황에서 어떻게 해야지. 어쩐다. 이를 어쩐다. 내가 계란을 두 눈 부릅뜨고 보고 말았으니…, 떡하니 들켜버린 마음을…, (잠시 생각하다가) 그려 까짓거. 증거를 없애는 게 가장 좋은 방법이겄지. (계란 하나를 들고) 지난 설에 먹어보고 처음 먹는 거라 계란 맛이 뭔지도 잊어버렸어, 이제서야 잊고 있었던 계란 맛을 확인하다니….

계란을 먹으려는데 군복 차림의 경비병인 청년1이 들어오다 이 모습을 본다.
청년1의 힘들어하던 표정이 밝아진다.

청년1　아저씨 물 한 잔 마실 수…, 아니 계란 하나 마실 수…, 아니지 계란 하나 먹을 수 있을까요?

남자　뭐 계란이라고! 젊은 사람이 벌써부터 계란을 밝히면 못쓰지.

청년1　그럼 계란은 몇 살 때부터 밝혀야 하나요?

남자　젊은이는 몇 살 때 계란을 먹어봤는가?

청년1　그거야 잘 기억은 나지 않죠. 어릴 적 밥상에서 할아버지만 드시던 모습이 어렴풋이 생각나긴 하지만요.

남자　할아버지가 그 계란을 혼자 드셨남? 손자한테 나눠주셨남?

청년1　할아버지 혼자 드셨는데….

남자　이기심이 많은 할아버지를 두었군.

청년1　왜 갑자기 남의 집안을 이기적으로 만드시나요. 무슨 자격으로.

남자　자격이라면, 나는 계란을 먹을 수 있는 자격이 있다는 것이고, 젊은이는 아직 계란을 먹을 수 있는 자격이 없다는 차이지.

청년1　할아버지가 계란을 먹을 때 그 모습을 바라보던 제 심정을 아시나요? 침이 꼴깍꼴깍 넘어가는 것을 들키지 않으려고 해도 목젖이 울룩불룩 들어갔다 나왔다 하면서…. 아저씨도 그런 시절을 겪었을 거 아닙니까? 지나온 시절을 까마귀 고기 먹은 사람처럼 까맣게 잊어버린 사람이 과연 계란을 먹을 자격이 있을까요. 저는 심각한 의문을 제기하는 바입니다.

남자　물론 나도 젊은이 심정을 알지. 알고 말고.

청년1 아시면 바로 실천을 하셔야죠.

남자 무슨 실천 말여?

청년1 계란 하나를 나눠주는 실천요.

남자 계란을 나눠주는 실천이라.

청년1 그래요. 계란을 나눠주는 아름다운 행위는 유년의 기억을 되살리는 고귀한 행동이자, 유년의 슬픔을 겪었던 사람에게 위로를 하는 거룩한 일이죠.

남자 고귀하고 거룩한 일이라….

청년1 그럼요. 여름날에 거룩한 실천을 할 좋은 기회죠. 이런 기회가 쉽게 찾아 오지 않을 겁니다. 저는 지금 아저씨한테 훌륭한 기회를 드리는 겁니다. 날이면 날마다 오는 기회가 아니죠.

남자 (뭔가 속는다는 표정으로) 뭐 정 그렇다면…, 그려 좋아! 젊은이가 말한 실천을 하지. 그럼 우리 둘이 하나씩 계란을 먹는 거여. 하나는 남겨두고 말여. 나를 향한 마음이니 마지막 하나는 남겨 두어야 돼.

청년1 나를 향한 마음이라뇨?, 누군가 선물을 하

셨나요?

남자 그런 셈이지.

청년1 그럼 그런 거지. 그런 셈은 무슨 말씀이죠?. 웬지 찜찜한데요.

남자 젊은이가 찜찜할 것 없어. 나한테 온 선물을 젊은이한테 주는 선물이니까 감사합니다, 하고 먹으면 된다구.

청년1 네. 감사합니다.

남자 근디 나한테 감사하다는 젊은이는 누군가? 처음 보는 얼굴인디. 아까부터 관사 밖을 지키고 있었지? 우리가 통성명도 나누지 않은 상태에서 난 젊은이에게 계란을 나눠주는 거룩한 일을 실천 중이고, 이게 도무지 어떤 상황인 겨?

청년1 저도 관사를 왜 지키는지 모르겠어요. 전쟁이 났다며 갑자기 여기로 가라고 해서 온 겁니다. 높은 양반이 있다는 말만 듣고요. 군인에게 가장 중요한 게 상명하복이잖아요. 전 하도 오래 서 있었더니 힘들어서 물을 마시러 들어온 거고요. 여기서 당분간 근무를 해야 한다고 들었으니까 자세한 얘긴 다음에 하시고 계란부터 먹으면 어떨까요?

남자　그려 먹자고 먹어, 자네는 물을 마시려고 들어왔다가 계란을 마시는 사상 초유의 어마어마한 일을 겪는 거라구, 전쟁만큼이나 역사적인 계란을 먹자구.

(남자와 청년이 계란을 먹는 순간 여자 목소리가 크게 들린다)

여자　(날카롭지만 호소하는 듯한 절규로) 멈춰. 스톱, 먹으면 안 돼.

암전.

2

마당에서 남자와 여자가 서 있다.

여자는 화난 표정이고 남자는 다소곳하게 옆에 서 있다.

여자　아니 이게 무슨 계란인 줄 알고나 먹었어요?

남자　(공손하게 손을 모으고) 마음의 징표….

여자　징표 같은 소리하고는. 징채로 사정없이 맞는 징 한번 되볼래요?

남자　(천연덕스럽게) 아무리 시상이 바뀌었다고 혀도 남자를 징처럼 때리면 쓰간디.

여자　내가 이 계란을 구하려고 동서남북 여기저기 사방팔방.

남자　알지 그 마음.

여자　아니 아까부터 징표니 마음이니. 이게 뭔 개풀 뜯어먹는 소리래요.

남자　이쁜 입으로 그렇게 말을 함부로 하면 내가 거시기허지.

여자　아니 내가 멈추라고 할 때 먹지 말았어야지 그걸 홀라당 먹어요?

남자　멈추라는 말이 귓구멍에 도달했을 때는 이미 계란이 목구멍으로 넘어가고 있었는디 그걸 어치게 햐.

여자　이제 어쩌지. 계란 하나로 만들기에는 부족한데….

남자　뭘 할라구 혔는디?

여자　(주위를 살펴보며 조심스럽게) 얘기 못 들었어요?

남자　뭔 얘기를?

여자　그게…, 대통령이 오신다네요.

남자　지금 뭔 소리여, 누가 온다고?

여자　대통령 말이에요. 이 박사!

남자　그 양반이 여길 머 더러 와. 한양에 있는 양반이.

여자　한양에서 내려왔다니까요.

남자　언제, 누구랑, 왜, 글쎄 왜 내려왔냐구?

여자　전쟁이 났으니까 피난 온 거죠.

남자　도망을 와?

여자　도망이 뭐여요. 대통령한테, 피난이라니까.

남자　피난이나 도망이나, 피난 가다가 도망온 거구먼.

여자　상을 차리려면 이것저것 반찬을 해놔야 할 텐데 걱정이네.

남자　(비아냥대며) 아하, 계란이 그 도망자 계란이었구먼.

여자　어허, 피난이라니까요.

남자　그 양반 어디 가도 굶어 죽지는 않겠네. 이 와중에 계란찜 해줄라고 걱정하는 훌륭한 분이 있으니….

여자　계란찜이 아니라 계란찌갠데.

남자　계란은 찜이지 무슨 찌개여?

여자　이 박사가 찜이 아니라 찌개를 좋아한다네요. 새우젓으로 간을 한 계란찌개를.

남자　그 양반이 계란찌개든 찜이든 먹을 자격이 있는 겨?

여자　(쌀쌀맞게) 자격은 내가 주는 거니까 상관허덜 말고요. 시방 중요한 건 계란이 없는 것이고, 얼른 나가서 계란을 구해와야 된다는 것이고. 거기는 청소나 깨끗하게 해놓고 있으셔요. 저기 마당도 좀 쓸고.

여자가 바쁜 걸음으로 나간다.

남자　(잠시 생각하며) 여기에 대통령이 온다고. 그것 참 내가 일복이 터졌구먼, 그나저나 내가 갑자기, 순식간에, 별안간, 느닷없이 대통령 측근이 되어버렸네. 그것도 일반적인 측근이 아니라 최측근. (거만해진 모습을 취하며) 그럼 최측근으로서 준비해야 할 게 뭐지? 구두를 하나 사야 하나? 관공서 사람들이 입는 하얀 셔츠를 하나 사야 하나? 당연히 네꾸다이는 매야겠지. 아니지 독립된 지가 언젠디, 대통령 최측근으로서 가오가 있지, 네꾸다이라고 하면 안 되고 말고. 음…, 넥타이를 하나 사야 하나?

청년2가 들어온다. 기관사 복장을 하고 있다.
윗도리만 제대로 입고 아랫도리는 그냥 바지다.
급하게 내려온 듯한 차림이다.

청년2　저 여기가 도지사님 관사가 맞나요?
남자　그렇소만 뉘신가?
청년2　그럼 황 비서님 계신가요?

남자　황 비서라니. 여기 황씨 성을 가진 비서는 없는디요.

청년2　이상하다. 여기로 오신 걸로 아는데….

남자　누가 여기로 왔다는 거요?

청년2　(주위를 살피며) 여기 대통령께서 안 오셨나요?

남자　(더 긴장한 모습으로 말투가 바뀐다) 아니 이런 일급비밀을 어떻게 알고. 대통령의 거취를 아는 사람은 한수 이남에서는 나 이외에 딱 한 사람밖에 없는디. 그런 일급기밀을 당신이 어찌?

청년2　그럼, 대통령께서 계시긴 계신 모양이네요.

남자　그런 건 아니고.

청년2　그런 게 아니라면 계신 게 아니라는 뜻인가요?

남자　(갑자기 태도를 거만스럽게 바꾸며) 이거는 일급비밀이니까 대통령의 소재를 함부로 알려주면 안 된다는 뜻이지. 특히 전시 중에는 더욱 그렇고 말구.

청년2　그럼 이걸 어떻게 하지….

남자 무슨 문제라도?

청년2 문제라면 문제일 수도 있지만, 어차피 제 문제니까 제가 알아서 해도….

남자 허허 답답하네. 시원하게 말혀봐. 내가 해결할 일이면 해결해줄 테니.

청년2 누구신데?

남자 나랏일 하는 사람한티 누구냐니.

청년2 (태도를 공손하게 바꾸며) 아! 그럼 대통령을 모시는 분이신가요?

남자 나랏일이라는 게 다 설명하면서 하다 보면 일을 못 혀. 규정 법규 다 따져가면서 하다가는 전쟁 끝날 때까지 못 하지. 상세한 거까지는 알 거 없고 용건이나 말해보라구.

청년2 그게 말입니다. 제가 대통령을 모시고 내려온 기관산데요.

남자 대통령이 기차를 타고 오셨단 말인가?

청년2 아니 대통령을 모시는 분이 그것도 모르고 계셨단 말인가요?

남자 그게 아니라 극비사항이니까 나는 먼저 내려왔단 말이지.

청년2 아! 그렇군요. 대통령 각하를 대전역에 내려드리고 난 뒤돌아 가려 하는데 황 비서님이라는 분이 수고했다며 봉투를 주셨습니다. 생각해 보니 액수가 많은 것 같아 반만 받으면 어떨까 해서 어렵게 용기 내어 왔습니다.

남자 아! 이 전쟁통에 봉투를 건넸다고. 정신 못 차린 사람들이구먼. 혹시 댁이 차비를 달라고 했나?

청년2 무슨 말씀을 그렇게. 세상에 차비를 직접 받는 기관사가 어디 있다고….

남자 어디 있기는 내 앞에 있구먼.

청년2 그건 오해시고요. 수고했다며 격려 차원에서 준 거라고 했어요. 황 비서님이 주시긴 했지만 대통령 각하의 뜻이라고 하셨습니다.

남자 대통령도 참 오지랖은. 그래서 돈을 돌려주겠다고 온 것이란 말이지.

청년2 그렇다니까요.

남자 (조용한 목소리로) 돈이 얼만데?

청년2 이만 원입니다.

남자 (놀란 표정을 감추며) 음 이만 원이라…, (인

심을 쓴다는 표정으로) 그럼 만 원은 수고비로 받고, 만 원은 내게 주고 가게. 황 비서님한테 전해줄 테니. 만 원 정도는 받을 자격이 있지.

청년2 (밝은 표정으로) 아, 감사합니다. 고맙습니다. 잠시나마 마음의 큰 짐이었는데…, 근데 만 원을 받을 자격이라는 건 무슨 말씀이신지?

남자 전쟁 중에 대통령을 모시고 온 자격이라는 뜻이지. 그게 쉬운 일은 아니란 말일세. 모시고 와도 될 만한 사람인지는 나중에 따져보더라도 말여.

청년2 저도 기관사 자격이 있으니까 대통령을 모실 수 있었던 거죠. 기관사 자격은 아무나 딸 수 있는 게 아닙니다. 그리고 남들은 열차에 탔을 때 차창 밖 풍경을 보면서 한적한 시간을 보내지만 저는 오로지 앞만 보고 가야 하거든요. 세상에는 합쳐지지 않는 길이 있어요. 그게 바로 철길이죠. 평행선을 달리는 저 긴장의 길을 가다 보면 외로움이 밀려오거든요.

남자　(익살스럽게) 나도 밤마다 외로워. 그래도 난 내 마음을 알아주지 않는 그녀를 원망하지 않아. 사내대장부니까. 비록 날 두고 계란을 구하러 갔지만 그녀를 원망하지 않지.

청년2　특히 이번에는 더 외로웠어요. 나라의 지도자와 극소수의 일행을 비밀리에 모시고 와야 한다는 부담감에 눈 한번 깜빡이지 않고 철길을 봤다구요.

남자　사람이 눈 한번 깜빡이지 않는다는 건 지나친 과장이지.

청년2　그만큼 긴장을 했다는 뜻으로 받아주시면 안 되나요? 이 상황에.

남자　알았네. 극소수라고 하면 차량 가득 태우고 온 것이 아니란 말인가?

청년2　대통령 일행은 채 열 명도 되지 않았습니다. 더 많은 분을 모시고 와야 하는데. 갑자기 연락을 받아서 몇 명 모시지 못했습니다. 바지도 갈아입지 못하고요.

남자　그럼 며칠 전 국회의장에 당선된 해공 선생

은 같이 안 오셨나?

청년2 육해공은 들어봤어도, 해공은?

남자 어허, 해공 신익희 선생도 모른단 말인가?

청년2 죄송합니다. 제가 정치 쪽은 좀 어두워서.

남자 그럼 국회의원들이나 장관들은 모두 서울에 남았다는 뜻인가?

청년2 (의심스럽다는 듯이) 경무대에서 오신 분이 아니신지?

남자 (얼버무리며) 봉투나 주고 얼른 주고 가게, 전시에 기관사는 더욱 바쁠 테니.

기관사 (봉투를 건네며) 네 감사합니다. 대통령 각하를 모셔서 영광이었다는 말씀도 전해주시고요.

남자 (기관사 나가는 뒷모습을 향해) 알았네, 건투를 비오. 사나이답게 전쟁을 견디게. 다음에 대통령 모실 일 있으면 따로 부를 테니 더욱 운전을 연마하라구. 기름 아끼지 말고 연습도 부지런히 하고. 철길은 두 길 똑바로 나 있으니까 길 잃은 염려는 없을 거 아닌가. 전시라도 너무 걱정 말게. (돈

봉투를 열어보며) 이게 웬 횡재야. 올여름 귀인이 온다는 토정비결이 딱딱 맞는구먼. (중얼거리며) 만 원이면… 일단 빽구두 하나 뾰족구두 하나씩 나눠서 신을까?

여자가 계란 바구니를 들고 들어온다.
남자는 황급히 돈봉투를 주머니에 넣는다.

여자 지금 나간 제복 입은 사람은 누구래요?
남자 어, 기관사.
여자 기관사가 기차는 운전 안 하고 여기는 웬일이래요?
남자 대통령을 모시고 내려온 기관사랴.
여자 근디 여기는 왜 왔대요?
남자 대통령이 잘 도착했냐며 안부를 묻네 그려.
여자 그거 말고 다른 말 나눈 거는 없고요?
남자 그럼 무슨 말을 햐. 사내들끼리는 말 몇 마디면 끝나는 거지.
여자 그럼 당장 데리고 와야겠네요.
남자 (당황하며) 왜 그 사람이 무슨 잘못을 했다

고 데리고 와? 돈을 떼먹은 것도 아니고.

여자　갑자기 돈은 무슨 돈?

남자　아니 이를테면 그렇다는 거지.

여자　대통령을 모시고 온 사람이라면 이 박사에 대한 정보를 차근차근 물어봐야죠.

남자　뭔 정보를….

여자　식사는 주로 뭘 좋아하시는지, 새우젓으로 간을 한 계란찌개 좋아한다는 얘기는 들었는데. 간은 얼마나 해야 하는지. 또 주전부리는 뭘 좋아하시는지. 이런 걸 꼬치꼬치 캐물어야 여기 계실 동안 잘 모실 수 있을 텐데….

남자　지금까지 솥뚜껑 열었다 닫었다 헌 지 몇 번여?

여자　솥두껑을 닫었다 열었다 하든. 열었다가 안 닫든. 그게 지금 뭔 상관이래요.

남자　내 말은 딱 하면 간이 맞을 거라는 야그지. 그 솜씨가 어딜 가겄어?

여자　(갑자기 밝은 표정으로) 아니 그거야 그렇지만. 지금은 경우가 다르잖아요.

남자　다르긴 뭐가 다르다고 그런댜. 그 양반도 밥 먹으면 배부를 테고. 배부르면 졸릴 테고 똑같은 사람인디 뭘 그렇게 신세를 볶는댜. 계란 하나에 새우젓 한 숟가락 넣구 파 썰어 넣구, 짜면 물 붓고 싱거우면 새우젓 넣구. 또 짜면 물 붓구 싱거우면 새우젓 넣구….

여자　(남자를 째려보며) 새우젓 한 마리도 들어가지 않은 그런 싱거운 소리 하덜 말고, 어여 나가서 황태나 몇 마리 구해 와요.

남자　그 양반이 황태를 좋아한댜? 황태 먹을 자격은 있고?

여자　새우젓 들어간 계란찌개에 황태 찢어서 넣으면 씹는 맛이 있을 거 같아서 그런 거예요.

남자　황태는 왜 잘라서 넣는다고 하지 않고 찢어 넣는다고 하지? 섬뜩하게.

여자　뭐가 그렇게 섬뜩해요?

남자　내가 고등어를 발기발기 찢어서 넣을 거야, 꽁치를 형체도 없이 찢어서 넣을 거야 이러지는 않잖여. 요리가 무슨 공포영화도 아니구.

여자　황태는 말린 거니까 그렇죠. 누가 말리지도 않은 생선을 찢어 넣어요.

남자　찢어 넣으면 더 맛있나? 내 말은 잘라 넣는다고 할 수도 있지 않냐는 뜻이지.

여자　황태를 결대로 찢어 넣어야 맛있는 이유를 아시나요? 잘 잡아서 말리는 사람의 정성도 중요하지만 자연의 위대한 힘이 없으면 불가능한 게 황태죠.

남자　위대한 힘! 얼마나 위대한지 들어나 볼까?

여자　눈, 바람, 추위. 이 삼박자가 잘 맞아야 황태가 만들어진다는 말 못 들어 봤어요? 추우면 황태도 몸을 움츠릴 테고 바람이 불면 몸을 펴면서 바람을 맞을 테고 그러다 보면 육질도 좋아지겠죠. 아무리 좋은 재료라고 하더라도 자연의 조건이 맞지 않으면 헛일이에요. 전쟁이 나면 황태 한 마리 제대로 말릴 수 없을걸요.

남자　(정색하며) 전쟁이 빨리 끝나야 하는 이유

는 분명하군. 황태를 제대로 말리기 위해서라도 전쟁은 시작과 함께 끝나야 돼. 그럼에도 이 박사가 내려왔다는 것은 전쟁이 쉽게 끝나지 않을 것이라는 걸 예감하는 거지.

여자 갑자기 진지하게 말하네요. 전쟁에 대해 오랫동안 생각한 사람처럼.

남자 남한이 단독정부를 수립한 이후부터 전쟁은 준비된 건지도 모르지. 난 그때부터 늘 걱정해왔다구. 내가 관사에서 들은 풍월만 해도 미군정청 서기보다는 나을 거여.

여자 지금 급한 것은 황태를 구하는 일이니까 얼른 중앙시장부터 다녀와요.

남자 알았네, 알았어. 황태는 내가 다듬을 테니 걱정 마시고.

여자 웬일로 황태를 다듬는다고.

남자 (나가며) 작신 두드려 팰라고 그러지. 황태는 두드려야 부드러워진다며. 하여튼 내가 도망 온 누구 생각하면서 작신나게 팰 겨.

여자 어허 저런 불경스러운 말이 있나, 누가 들을까 무섭네.

암전.

3

어두운 부엌에서 달그락거리는 소리가 난다.
모습은 어렴풋하게 비친다.

여자　이거 새우젓을 어디다 뒀지? 등화관제 한다고 불을 못 켜게 하니 찾을 수가 있나. 곤쟁이젓을 어디 둔 것 같은데. 간이 제대로 맞아야 할 텐데.

어두운 마당에서 남자가 서성이고 있다.
멀리서 새소리가 들린다.

남자　저 새도 전쟁이 났는지 알려나. 전쟁이 나도 새들한테는 총질을 안 할 테니 느그들은 그래도 걱정은 덜할 것 같은디. 산 사람들이 문제지. 어제 신문에는 국군이 북으로 진격한다고 하던디. 상황이 딴판인 모양이네 그려.

부엌에서 작은 불이 잠깐 새어나오다가 꺼진다.

여자 잠깐 불을 켠 건 괜찮겠지. 대통령 음식 하느라 그런 거니까. 맛은 괜찮은데 입맛에 맞으실지 모르겠네. 한번 맛이라도 보라고 할까. (마당을 향해) 밖에 있어요?

남자는 이상한 동작을 하고 있다.
새가 날갯짓하는 모습이다.

남자 새들은 어떻게 마음을 나누나? 날갯짓을 마구마구 하면 알아들으려나? (가볍게 몸을 흔들며 춤을 추는) 아니면 나무에 앉아서 뒤뚱뒤뚱 춤을 출까나?

여자가 부엌에서 나온다.

여자　거기 있으면서 왜 대답을 안 해요?

남자　(그윽하게 쳐다보며) 나를 불렀나. 애타게.

여자　애타게는 아니고, 그냥 불렀어요.

남자　가끔은 애타게 나를 한번 불러봐. 저 새들처럼 말이야, 얼마나 낭랑해, 얼마나 듣기 좋아. 저렇게만 부른다면 내가…, (조금 전에 춘 춤을 다시 추며) 춤을 추지.

여자　달밤에 새들이 웃겠어요. 와서 계란찌개 맛 좀 봐요. 깜깜하니까 문턱 조심하고.

여자는 들어가고 남자는 여자의 뒷모습을 물끄러미 바라본다.

남자　그러면 그렇지, 나를 위한 계란찌개였어. 생일 한 달 기념, 마침 등화관제로 불도 켜지 못하고, 알고 보면 음흉한 사람이네. (부엌으로 가는 발걸음을 멈추며) 왜 갑자기 가슴이 뛰지 이 나이에, 그려 사람의 감정이라는 것은 나이와 관계가 없는 겨. 물론 나이가 들면 감정에도 주름이 생기기는 하지만 말이야.

남자는 어두운 부엌에서 두리번거린다.

여자는 계란찌개를 바라보고 있다.

남자가 손으로 주변을 만지다가 여자의 손이 닿는다.

여자　(놀란 목소리로) 아니 이런 검은 손이. 누가 손을 잡으라고 했어요? 찌개 맛을 보라고 했지.

남자　어둠 속이라서 잘 보이지 않아 그렇지. 아무리 내가 경우가 없어도 덥석 손을 잡겠어. 그리고 내 손은 검은 손이 아니라 투박한 손여.

여자　투박한 손이자 검은 손이죠.

남자　그게 무슨 투박한 말이랴?

여자　손을 쉽게 잡히지는 않는단 말이에요.

남자　그거야 알 수 없는 일이지. 감정이 그렇게 두부 자르듯이 되는 것이 아니라고, 계란찌개만 혀도 그렇지. 당신이 계란이라고 해보

잔 말이야. 새우젓이 없고 계란만 끓이면 맛이 없잖여. 그럴 때 필요한 게 뭐여?

여자　당연히 새우젓이죠.

남자　그러니까 내가 필요하다는 거 아니야.

여자　지금 자신을 새우젓이라고 생각하는 건가요?

남자　그렇지. 계란과 새우젓의 관계를 생각해 보라고. 뗄래야 뗄 수 없는 관계이지 않나?

여자　그렇긴 하죠. 새우젓이 없으면 계란찌개 맛이 맹하겠죠. 그렇지만 새우젓도 종류가 많잖아요. 오월에 담근 오젓. 유월 산란기에 담근 육젓. 칠월이면 차젓, 초가을에 자하로 담근 젓은 자하젓. 가을에 담갔다고 해서 추젓. 다 같은 새우젓이라고는 하지만 맛 차이가 오묘하거든요. 새우젓도 새우젓 나름이라는 거죠.

남자　그럼 나는 뭔 젓인가?

여자　쉰내 나는 젓이니까 쓸데없는 소리 말고 맛이나 봐요.

남자가 찌개 맛을 본다. 여러 번 떠먹는다.

남자 역시 손맛은 팔도 어디다 내놔도 빠진다니까.

여자 뭐라고요. 빠지지 않는 게 아니라 빠진다고?

남자 아니 너무 맛있어서 말이 헛 나왔네. 어디다 내놔도 빠지지 않는 맛이야. 기가 막히네. 술 한 잔만 있으면 금상첨화인데.

여자 술 한 잔 드려요?

남자 술이 있어? 이 야밤에.

여자 밤이든 낮이든 전쟁통이든 아니든 술은 항상 있지 않나요. 있을 만한 곳이면 어느 곳이나. 한 잔만 드릴게요. 혹시 대통령도 찾을지 모르니까.

남자 그 양반이 술 마실 자격이 있는 사람여? 그것도 전쟁통에 말여. 밭을 갈고 한 잔, 모내기 하고 한 잔, 마늘 캐고 한 잔, 이렇게 뭔 일을 한 다음에 한 잔 마시는 거지. 그 양반 한 게 뭐가 있다고. 열차 타고 편히 도망 온 거밖에 더 있냐 말여. 그것도 만 원짜리 기관사

덕분에 내려온 거지. 서울에 사람들 모두 남겨두고 혼자 도망을 와.

여자　만 원짜리 기관사라는 게 뭔 말이래요?

남자　(얼버무리며) 열차에 만 원을 채우고 내려왔다는 말여. 그나저나 한잔 먹고 얼른 자야 쓰겄네. 내일은 또 뭔 일이 있을지 알고.

여자　그러게요. 내일은 무탈해야 할 텐데.

서서히 암전.

갑자기 달그락 소리 들리고 냄비 엎어지는 소리가 크게 들린다.
목소리만 들린다.

여자　(놀란 듯이) 아이고 계란찌개, 이거 낼 보충해서 이 박사 드릴 건데. 이걸 쏟으면 어떻게 한댜. 계란도 힘들게 구해 왔는데. 큰일 났네 큰일 났어.

남자　찌개를 쏟은 게 큰일여?. 전쟁 나서 도망 온 게 큰일여?

여자 피난 온 양반한테 계란찌개 하나 대접도 못 하는 것도 큰일이지 큰일.

4

아침이다. 남자가 마당을 쓸고 있다.
밖에 있는 경비병인 청년1에게 인사를 건넨다.
청년1은 목소리만 들린다.

남자 밤새 보초를 잘 섰는가? 피곤하겠네.

청년1 밤을 꼬박 새웠더니 힘드네요. 다행히 교대할 때가 됐어요.

남자 전쟁 상황이 어떤지 얘기는 들었는가?

청년1 저도 잘 모르겠어요. 우리가 올라가는 건지, 내려오는 건지?

남자 올라가긴 하는 겨?

청년1 글쎄 그것도 잘 모르겠네요. 올라가면 올라가는 대로 내려오면 내려오는 대로 시끄럽

겠죠.

남자　자네나 몸조심하게 들어가서 쉬더라고.

청년1　근데 밤중에 두런두런 뭔 얘기를 정답게 하셨어요.

남자　(경쾌하게) 우리덜 얘기가 다 들렸나?

청년1　잘 들리지는 않아도 구수한 냄새가 나서 그런지 정답게 들려오더라구요. 맛있는 냄새가 나던데 무슨 음식을 해 드셨나요?

남자　해 먹기는 뭘 해 먹어, 우리들 대화가 정다우니까 고소한 냄새가 난 모양이지.

청년1　저 이제 교대합니다.

남자　푹 자게, 잠이 보약여.

여자가 계란을 들고 들어온다.

여자　뭘 잘했다고 그렇게 혼자 중얼거려요.

남자　계란찌개 쏟은 건 미안한 일이지만, 그 양반 생각하면 찌개냄비를 집어던지고 싶다고 야그했지.

여자　누구랑 얘길 해요?

남자　밖에서 밤샌 경비병.

여자　계란이나 한 알 줄걸 그랬나?

남자　누구? 경비병을?

여자　누군가를 위해 밤을 샌다는 게 쉬운 일이 아니잖아요.

남자　하기는 나도 밤을 꼴딱 새워본 적은 없어서.

여자　기다림보다 더 먼저 오는 게 졸음이라고. 참기가 쉽지 않죠.

남자　누가 그려? 기다림보다 먼저 오는 게 졸음이라고.

여자　왜 지켜야 하는지도 모르고 서 있어 봐요. 졸음이 가장 먼저 오지 않겠어요?

남자　그러게. 계란 한 알 줄걸 그랬나. 근디 또 계란찌개 하게?

여자　아니 황 비서한테 들으니까 대통령이 무슨 방송을 한다네요.

남자　방송하는 거랑 계란이랑 무슨 상관인디?

여자　날계란 하나 먹으면 목소리가 좋아진다고 하잖아요. 목청을 다듬는 데는 이 날계란밖에 없다고요.

남자 전쟁통에 무슨 방송을 한다고 또 계란을 대령시킨댜?

여자 (조심스럽다는 듯이) 내가 창가에서 귀를 가만히 대고 들어봤더니….

남자 (눈을 크게 뜨며) 시방 이 박사를 도청을 했다고.

여자 도청이라니 무슨 그런 망발을. 누가 들으면 어쩌려고.

남자 몰래 들으면 그게 도청이지. 그런 건 스파이들이나 하는 일여. 전쟁통에.

여자 기밀을 빼돌리면 스파이일 테지만, 저 양반이 뭘 먹고 싶나 듣고 싶은 건 도청이 아니라 귀여운 귀동냥이죠.

남자 귀동냥? 그래 뭘 자시고 싶다고 하던가?

여자 그게 잘 들리지는 않고 무슨 연습을 하던데요.

남자 무슨 연습을? 귀엽게 귀동냥을 지대로 했으면 한번 읊어보더라고.

여자 (이승만 대통령 흉내를 어설프게) 아군이

이미 의정부를 탈환했으니 서울 시민들은 안심하시오. 유엔이 우리를 도우러 오니 국민은 고생이 되더라도 굳게 참고 있으면 적을 물리칠 수 있습니다.

남자　지금 그런 말을 이 박사가 했다고?

여자　정확하지는 않지만 이런 말을 계속 반복하던데요. 방송한다고.

남자　(화를 내며) 참고 있으면 적을 물리칠 수 있다는 사람이 왜 참지 못하고 내려왔댜.

여자　어디서 화를 내고 그래요. 대통령한테.

남자　자기는 혼자 도망 오고. 여기 대전에서 서울 사람들 잘 있으라고 방송을 한다고? 내가 서울 사람들 편드는 건 아니지만 몰래 도망 오고 또 몰래 거짓으로 방송을 하고 이건 죄악이지. 암 큰 죄악이고 말구. 그런 사람한티 계란찌개를 대접한다는 사람도 문제구.

여자　어제는 계란찌개였고 오늘은 요리를 하지 않은 날계란이라고요.

남자　지금 끓는 냄비에서 숨을 거두는 계란 얘기

를 하는 게 아니라, 날계란을 까고 보니 병아리가 되다 만 곤계란 얘기를 하는 게 아니라 아무런 자격도 없는 사람이 참으라고 적을 물리칠 수 있다고 하는 게 말이 되냐는 거지.

대전에서 계란찌개 대접받는 사람이 나는 서울에 있으니 안심하쇼. 이러면 아! 이 박사가 서울에서 계란찌개를 먹은 모양이구나 하고 안심을 할 것 같은가?

여자 이 박사가 미국 대사한테 공식적으로 미국의 참전을 통보받았대요. 그러니까 참으라고 한 거죠. 대통령도 다 사정이 있으니까 여기서라도 이런 방송을 하는 거 아니겠어요. 방송을 하려면 탁한 목소리 그대로 나가는 것보다는 날계란을 먹고 하는 게 더 좋지 않겠어요. 나는 그렇게 생각해요. 사람의 목소리에 따라 신뢰감이 얼마나 높아지고 낮아지는지.

남자 (정색하며) 목소리가 신뢰를 준다는 건 나도 동의하지. 보이지 않지만 어둠 속에서 들려오는 목소리와 백주 대낮에 들려오는 목소리가 다르다는 것도 분명히 안다고.

여자 그런 정도는 나도 알아요. 유월에 듣는 당신의 목소리와 겨울에 듣는 목소리가 다르죠. 당신의 목소리는 11월이 가장 잘 어울려요. 여름에는 습기가 묻어 있어서 목소리가 맑지 않아요. 하지만 11월이면 가을과 겨울이 조금씩 섞여 있어 목소리에 기품이 있죠. 본격적인 겨울이 오기 전 낙엽 속에 숨어 있는 흐려지는 초록의 기운을 느껴요. 11월에 사나흘 정도는.

남자 지금 나보고 당신이라고 한 겨? 물론 당신이라는 호칭에 대해 내가 해맑게 웃으며 기다렸다는 듯이 반응을 보일 수도 있지만, 지금 상황에서는 그런 반응이 적절치 않구먼. 당신도 그걸 노리고 당신이라고 한 것일 테고.

여자 지금 우리가 서로 당신이라고 부르고 있는 상황에서도 이 박사는 방송 준비를 하고 있으니 빨리 날계란을 가져다주는 게 내 임무

이자 역할이에요.

남자가 갑자기 계란 그릇을 빼앗는다.

남자 지금 날계란을 주는 행위가 도망을 방조하고 거짓방송을 돕는 범죄행위라는 걸 분명히 알아야 할 겨. 더 이상 전쟁범죄를 저지르지 말라고.

여자 아니 전쟁범죄라니. 나는 그냥 목소리를 좋게 하려고 날계란을 드리려는 것뿐인데, 그건 너무 심하게 죄를 뒤집어씌우는 게 아닌가요. 미국이 참전한다니 기다려봐야죠. 그 다음에 죄를 추궁해도 되지 않나요?

남자 나는 당신이 전쟁범죄를 저지르지 않도록 날계란을 삶어서 다 먹을 거여.

여자 내 입장에서 봤을 때는 대통령이 드실 걸 뺏어가는 것이야말로 범죄이자 반역적인 행동이죠.

남자 법 없이도 살 사람을 반역이라고, 범죄라고.

여자 그럼요. 나는 대통령 목소리의 신뢰를 위해

날계란을 준비했는데 그걸 방해하니 반역적인 거죠. 조선시대로 거슬러 올라가 볼까요. 제주도에선 말이 임금께 진상하는 품목이었는데 말 키우는 일이 보통이 아니었다잖아요. 잘못해서 말이 탈이 나 진상품이 되지 못하거나 죽게 되면 자비로 새 말을 채워 넣어야 했대요. 말 한 마리 값이 워낙 비쌌기 때문에 한 마리라도 잘못되면 전 재산을 탕진할 정도로 고역이 심했다잖아요. 그러다가 종마마저 빼앗길 위기에 처할 경우엔 일부러 말의 한쪽 눈을 멀게 해서 진상 대상에서 빼낸 사례도 있대요. 문제는 진상을 은밀하게 방해하는 것은 범죄란 말이죠.

남자 (잠시 고개를 숙였다가) 잘 생각혀봐. 그렇다면 지금 우리는 조선시대 종마의 눈을 멀게 한 사람보다 더 심각한 범죄자가 된 것이여. 이 순간 우리 둘이 동시에 범죄자가 된 것이구먼. 전문적으루다가 전범자가 된 것이지.

여자　날계란을 주는 것이 전쟁범죄고, 계란을 삶아 먹는 것도 전쟁범죄고.

남자　근디 여기에 함정이 있다는 거여.

여자　함정이라뇨?

남자　문제는 말여. 전쟁을 일으킨 사람들이나 도망간 사람이나 모두 범죄자 명단에서는 빠졌다는 거지.

여자　나는 그저 계란을 준비했을 뿐인데….

남자　나는 그저 계란을 삶으려고 했을 뿐여….

남자가 계란을 들고 뛰어나가자 암전.
여자 목소리 들린다.

여자　계란은 놓고 가요. 계란은 놓고 가라니까.

5

점심 무렵에 여자와 남자가 부엌에 앉아 있다.

표정이 어둡다.

여자　간밤에 한강철교가 폭파됐다네요.

남자　그 기관사는 어찌 됐을까. 자격 있는 기관산디.

여자　어제 왔다 간 기관사요?

남자　그려, 셈이 밝은 친군디.

여자　거래를 했어요. 무슨?

남자　기관사는 셈이 밝어야 혀. 그게 운전만 해서 되는 게 아니라고. 자격시험에 셈도 들어 있다고 하더라고.

여자　짧은 시간에 많은 얘기를 했네요.

남자　길을 잃어버리지 않아야 할 텐디, 철길은 잊어버릴 염려는 없다고 말해줬는디, 길이 끊긴다는 생각은 추호도 생각해 본 적이 없어서 말여.

여자　그렇죠. 길을 가다가 스스로 멈추기는 하지만. 갑자기 끊긴 길을 만나기는 쉽지 않죠. 내가 길을 가는데 저 길은 끊어질 거야. 이런 생각을 갖고 있는 사람은 아무도 없을걸요.

남자 그렇게 생각한 사람들이 끊긴 길을 만나봐. 끊어진 줄도 모르고 걸음을 내딛었을 때, 첫발이 하늘 위에 떠 있다고 생각혀 봐. 참으로 끔찍헌 일이지. 그 발이 깊은 절벽이나 강으로 떨어지는 시간이 순간이기는 혀도 얼마나 길게 느껴질 거여.

여자 한강철교가 끊겼으니 기관사는 어느 길로 달릴까요?

남자 내려올 사람들도 걱정이지만 올라가려고 했던 사람들도 걱정이네 그려.

암전

6

마당에 남자와 청년1이 서 있다.
악수를 하고 있다.

남자 며칠 동안이었지만 반가웠구먼.

청년1 저도 아저씨랑 만나서 반가웠어요. 계란도 고마웠고요.

남자 자네도 이제는 충분히 계란을 먹을 자격이 있네.

청년1 (가볍게 웃으며) 왜 갑자기 너그러운 발언을 하시나요?

남자 자네는 이 관사 밖을 떠나지 않고 하루 종일 서 있었잖여.

청년1 서 있는 것하고 자격하고 무슨 관계가 있죠?

남자 계란이 아니라 닭을 먹을 수 있는 자격도 있지. 암만.

청년1 지금 저를 칭찬하시는 건가요?

남자 그려. 많은 사람들이 전쟁을 피해 도망가고 피난 가는데 자네는 그 자리에 그냥 서 있었잖여. 자리를 지키면서 서 있는 게 얼마나 힘든 일인디.

청년1 그거야 제가 하는 일이 서 있는 일인데요. 뭘 그런 걸 가지고.

남자 자신이 할 일을 하지 않는 사람도 많이 있

지만 또 자신이 하지 말아야 할 일을 하는 경우도 많이 있잖여. 이 전쟁통에도 말여.

청년1 그렇긴 하죠. 서 있는 일이 사실 쉬운 일이 아니죠.

남자 근디 말여. 남들이 안 볼 때는 조금씩 몸을 흔들면서 쉴 때도 있지 않나?

청년1 보이지 않을 때도 누군가 보고 있다는 생각을 할 수 밖에 없어요. 경비병들은. 자세가 가끔 흐트러지기는 해도 짝다리를 짚고 있거나 그러진 않아요.

남자 보이지 않는 눈을 의식하네. 그려.

청년1 그럼요. 경비병뿐만 아니라 많은 사람들이 보이지 않는 눈을 생각하면서 행동하지 않나요. 전쟁도 마찬가지죠. 남북이 벌이는 내전이지만 전쟁터 뒤에서는 보이지 않는 눈들이 서로를 견제하고 감시하지 않나요?

남자 주머니에서 계란을 두 개 꺼내 청년에게 준다.

남자　(갑자기 익살스럽게) 이것도 보이지 않는 곳에서 혼자 먹게. 몇 개 되지도 않구먼, 반숙으로 삶았어.

청년1　반숙으로 삶기가 쉽지 않은데.

남자　자네 계란을 좀 아는구먼.

청년1　고맙습니다. 몸조심하시고요.

남자　계란 먹을 때는 항상 옆에 물을 갖다놓고 먹으라고. 목 막히니께. 암튼 건강하게 살아있자고.

암전

7

여자와 남자가 마당에 있다.

여자는 계란을 만지고 남자는 빗질을 하고 있다.

둘 다 표정이 어둡다.

여자　어제 그렇게 뺏어간 계란을 한두 개도 아니고 다 삶는 사람이 어딨어요?

남자　뭐 대통령도 말도 없이 급하게 대전을 떠난 마당에 계란으로 찌개를 하든 찜을 하든 삶든 간에 아무런 상관도 없는 거 아녀. 난 그저 계란으로 전범죄가 되는 일을 막는 훌륭한 과업를 수행한 것이구먼.

여자　범죄를 추궁할 사람이 피난을 갔으니 그건 아직 모르는 일이고요. 죄를 지은 건 분명하죠.

남자　죄를 입증하려면 증거가 있어야 한다는 것쯤은 알고 있는 겨?

여자　그럼요. 여기 삶은 계란이 있잖아요. 빼도 박도 못하는 증거.

남자　이 증거는 오늘 하루 동안에 다 사라질 수도 있다구.

여자　증거가 사라진다고요?

남자　계란을 하나씩 까먹으면 증거는 결국 변소간으로 빠질 테니까 말여. 그렇다고 증거를 남겨두면 상하면서 고약한 냄새가…, 냄새가 은은하게 퍼지면서…, 밥상을 차렸는데도 냄새가 퍼지면서…, 식욕이 급하게 떨어질 테고….

여자　증거를 보존하는 방법을 찾아봐야겠어요. 그나마 다행인 것은 이제 계란 걱정을 할 필요가 없다는 거죠. 대통령께서 말도 없이 떠났으니. 계란찌개 간은 잘 맞으셨나 모르겠네.

남자　여기서 간이 맞지 않았으면 대통령이 부산에 가서 밥하는 아줌씨한티 새우젓 좀 더 넣게. 이렇게 말할 겨.

여자　이 박사가 부산으로 가는데 왜 경부선으로 직접 가지 않고 목포를 거쳐 부산으로 간다고 했을까요. 나 같으면 대구 거쳐 부산으로 직접 갈 텐데.

남자　적군이 경부선 쪽을 공격할까봐 돌아서 간다고 하던디. 말 들어보니께.

여자　그럼 한참을 돌아가는 길인데. 다시 피난가는 걸 알았으면 삶은 계란이라도 싸서 보내는 건데.

남자　내가 몰래 도망가는 걸 알았으면 삶은 계란을 뒤통수에 대고 던졌을 텐디.

여자　그런 불경스러운 말은 하지 말라고 했죠.

남자　이럴 때 계란 한번 던지지 못할 거면 언제 던져. 돌멩이를 던지는 것도 아니구 계란 몇 개도 못 던진단 말여. 내가 심하면 돈 만 원도 던질 사람여.

여자　돈을 던져요? 만 원이 어디에 있다고?.

남자　남자가 돈 만 원 정도는 가지고 있어야지. 그 돈으로 나 빽구두 자네 뾰족구두 나눠 신으면 어떨까 싶은디.

청년2 기관사가 들어온다.
남자가 놀란다.

청년2　아직도 여기 계셨군요.

남자　그럼 여기에 있지. 내가 어디에 가나?

청년2　대통령도 떠나시니까 같이 가시던지. 아니면 먼저 부산에 가셨어야 하는가 아닌가요?

여자　(이상하다는 듯이 남자를 보며) 이 양반이

왜 부산에 가나요?

남자　(당황하면서 여자를 보며 눈을 끔뻑인다) 자네는 뭐 시원하게 마실 거라도 가져오라구. 대통령 모시는 사람인디.

여자　아 그렇네요, 손님인데. (밖으로 나가며) 뒤란에 담가놓은 시원한 수박이라도 썰어올게요.

남자　(청년2의 팔을 붙잡고 끌어당기며) 근디 왜 여길 다시?

청년2　대통령께서 부산으로 가신다고 해서요.

남자　그럼 얼른 열차 시동을 걸고 출발을 해야지 여기를 왜. 뭐 놓고 간 거라도 있는가?

청년2　네 놓고 간 게 있어서요. 정확하게 말하면 맡겨둔 게 있어서.

남자　그게 뭔디?. 중요한 물건인가 보구먼.

청년2　(약간 주저하며) 저…, 저…, 아직 황 비서님한테 드리지 않았으면 지난번에 드린 만 원을 돌려주셨으면….

남자　(놀라며) 그걸 왜?

청년2　지난번에 서울에서 대전까지 오는데 수고

비로 이만 원을 주셨는데 생각해보니까 많은 것 같아 제가 만 원만 받은 거잖아요. 이번에는 부산까지 간다고 하시니까 이만 원을 받아도 되겠다는 생각이 들더라구요. 거리도 훨씬 멀고.

남자　(의기소침해지며) 거리가 멀기는 하지.

청년2　사실 거리로 따지면 이만 원에서 만 원 정도 더 쳐서 삼만 원 정도 수고비를 받아도 되겠다는 생각이 들었어요.

남자　이만 원 받고 만 원 더?

청년2　생각이 그렇다는 거예요. 그렇다고 아저씨께 아니 나랏일 하시는 분께 삼만 원을 채워서 달라고 할 수는 없죠. 저도 대가를 받고 일하는 건 아니니까요. 수고비도 선의의 양심으로 주신 거니까 저도 선의의 양심으로 받는 겁니다.

남자　(봉투를 꺼내며) 자네는 기관사 자격도 있지만 만 원을 더 받을 수 있는 자격도 있지. 멀리 목포 거쳐 부산까지 가니까.

청년2　(봉투를 받으며) 감사합니다. 저도 이 돈을

저 혼자만 쓰지는 않을 겁니다. 결혼하게 될 여자에게 뾰족구두 하나 사주고 나눠 쓸 겁니다.

남자 그려. 전쟁은 시작됐지만 신발은 신어야지. 구두를 신어도 되고.

청년2 그럼 안녕히 계세요.

청년2가 뒤돌아서 나가려고 한다.
남자가 부른다.

남자 저기 말여.

청년2 (다시 뒤돌아서며) 무슨 하실 말씀이라도.

남자 (주머니에서 계란을 꺼내며) 이거 대통령께 갖다 드리게. 계란찌개 끓여준 분이 준비한 거라고.

청년2 (계란을 받으며) 알겠습니다. 잘 전달할게요. 깨지지 않도록 할게요.

남자 이 계란은 물 없이도 먹을 수 있는 계란이니까 물은 절대로 드시지 말고 계란만 먹으라고 전하게. 꼭 잊지 말구.

청년2 아무리 그래도 물 없이 삶은 계란을 먹으면 목이 막힐 텐데.

남자 그렇지. 목 막히라고 그런 겨. 목 막히라구.

서서히 어두워지는 가운데 멀리서 총소리 간간이 들리며 음악 깔린다.
무대는 어둡고 목소리만 들린다.

여자 이 박사가 떠나자마자 총소리가 들리네. 저쪽이면 산내 쪽인데. 총소리는 소리만으로도 불길해요.

남자 그렇지, 어떤 계절이나 총소리는 불길하지. 사람 목소리만 한 게 없어.

여자 우리 뾰족구두는 언제 사러 가나요?

남자 전쟁통에 무슨 구두여. 지금 신고 있는 신발도 좋구먼.

음악 점점 커진다.

끝.

문화세평

전쟁의 상처를 보듬어준 트로트 가요들

이숙용

트로트 열풍의 시대다. 지난해 종편 프로그램을 통해 신드롬을 일으킨 가수 송가인의 등장과 함께 올해 방송된 <미스터 트롯>은 국민 예능으로 불릴 만큼 높은 시청률을 자랑했다. 방송 프로그램을 비롯해 일반 상업 매장에서도 트로트는 자주 들려온다.

전문가들은 최근의 트로트 열풍의 원인을 시대 상황에 맞는 멜로디의 변신과 새로운 스타 탄생에 따른 신선도, 이른바 '덕질'하는 중장년층의 등장 등이 종합적으로 반영된 결과로 해석한다. 트로트가 중장년만이 듣는 노래가 아니라 10대까지 열광하는 장르로 애청 범위의 폭이 넓어진 중요한 배경에는 시대적 변화에 발을 맞췄다는 점을 들 수도 있다.

일제강점기 시절 형성됐던 고전적인 트로트는 시대적 검열 때문에 대체로 저항의식이나 민족이 함께 연대할 수 있는 울분을 담기보다는 인간의 감정을 토로하는 것에 머물렀다. 당시의 노래들은 남녀

간의 사랑과 이별, 혹은 고향을 그리는 마음을 담은 것이 대부분으로 시대의 아픔은 그저 개인의 감정에 묻혀버렸던 것이다. 일제강점기의 설움과 전쟁을 겪으면서 나온 이후의 노래들에는 역사적 비극이 훑고 지나간 개인의 쓰린 아픔이 서럽게 묻어나온다. 그 아픔은 많은 사람들의 감정으로 연결되어 슬픔과 설움이 연대하면서 발전하고 서로를 위로했다는 것을 새삼 발견할 수 있다.

따라서 본 원고에서는 전쟁 당시와 그 이후의 트로트 가요를 통해 전쟁의 상처와 전쟁 직후 상흔이 가시지 않은 당대의 노래가 어떤 역할을 했는지, 또한 우리 삶은 어떠했는지를 되짚어본다.

전쟁의 포화 속에서 불린 진중가요(陣中歌謠)

1. 〈전우야 잘 자라〉

총알이 빗발치던 한국전쟁 당시 전장에서 직접 전투를 벌인 군인들이 겪은 참혹함은 전후세대가 차마 짐작하기 어려울 정도였을 것이다. 그러나 전후 세대들도 그리 평온한 나날을 보내지는 못했다. 학교 가는 길 곳곳에 궁서체로 붉고 굵게 쓰여 있던 '무찌르자 공산당, 때려잡자 김일성' '멸공' '반공' 등의 글귀들과 학교 강당에 밀집한 채로 앉아서 보던 끔찍한 장면이 담긴 반공영화들, 도무지 어린 학생들이 봐도 좋다는 검열 기준이 있었는지조차 의문이었다.

나중에 안 일이지만 전쟁이 끝난 직후에 태어난 세대들은 어릴 때부터 수도 없이 전쟁을 배경으로 하는 꿈에 시달려야 했다. 자신들이 직접 겪은 일이 아닌데도 불구하고 자주 피난 가는 꿈과 피난길에 가족들과 헤어지는 꿈, 포탄의 빗발 속에 시신이 널려 있거나 적을 만나 총구를 맞닥뜨린 끔찍한 꿈을 꾸다 진저리 치며 깨는 일이 많았다. 어쩌면 전쟁의 상흔이 가시지 않은 당시의 주변 환경이 해맑은 동심보다는 전쟁의 기억과 상처를 갖게 했는지 모를 일이다. 한국전쟁 당시 '국민학교' 1, 2학년 교재에는 이런 노래 가사가 실리기도 했다.

탕크가 갑니다
민들레 곱게 핀 언덕을 넘어서
탕크가 갑니다

전쟁 당시의 서정은 이렇게 민들레와 탱크의 공존일 수밖에 없었을까. 동심보다는 아이들이라도 나서서 적을 물리쳐야 하고, 철저한 반공교육을 시키는 것이 가장 절박한 일이었을 것이다.

특히 1950~60년대 태어난 여자아이들은 고무줄놀이를 할 때 천연덕스럽게 "무찌르자 오랑캐, 몇 해만이냐/대한남아 가는 데 초개로구나" 또는, "전우의 시체를 넘고 넘어 앞으로 앞으로" 이런 노래들을 부르며 폴짝폴짝 고무줄을 뛰어 넘으며 놀았다. 동생인 어린아이를 업고 고무줄을 하는 아이들도 있었다. 골목길의 이런 풍경은 어디서나 쉽게 볼 수 있는 장면이었다. 전쟁의 참혹한 실상을 직접 겪지 않았음에도 전쟁이 남긴 후유증을 전후세대들이 일상에서 놀이를 통해 체감했다는 것은, 전쟁이 남긴 영향이 계속되고 있다는 사실을 증명하는 것이다.

<전우야 잘 자라>는 6·25전쟁 중에 탄생한 노래

다. 1950년에 유호 작사, 박시춘 작곡으로 만들어졌는데, 6·25전쟁 내내 국군에게 애창되었던 대표적인 진중가요(陣中歌謠)로 4분의 4박자, 비장한 느낌의 단조로 되어 있고 4절로 된 노래다.

노래의 배경도 분명하다. 6월 25일 전쟁이 일어나자 정부는 6월 28일 한강철교를 폭파하고 임시수도를 7월에 대전과 대구, 8월에는 부산으로 계속 이전했다. 후퇴를 거듭하면서 그해 8월 1일엔 낙동강까지 밀려 극한 상황에서 버티다 인천상륙작전에 힘을 받아 반격을 감행, 서울을 수복하고 북진한다. 남침 36일 만에 낙동강까지 밀렸다가 13일 만인 9월 28일 다시 서울을 수복한 것인데, 이때 총알이 빗발치는 상황에서도 피난을 하지 못하고 있다가 서울이 수복된 안도감으로 명동 거리를 거닐던 유호는 우연히 박시춘을 만났다고 한다. 둘은 술을 한 잔씩 마시며 전쟁 상황을 이야기하며 노래를 만들었는데, 그 노래가 바로 <전우야 잘 자라>였다는 얘기가 전해진다.

전우의 시체를 넘고 넘어 앞으로 앞으로

낙동강아 잘 있거라 우리는 전진한다
원한이야 피에 맺힌 적군을 무찌르고선
꽃잎처럼 떨어져 간 전우야 잘 자라

우거진 숲풀을 헤치면서 앞으로 앞으로
추풍령아 잘 있거라 우리는 돌진한다
달빛 어린 고개에서 마지막 나누어 먹은
화랑담배 연기 속에 사라진 전우야

고개를 넘고서 물은 건너 앞으로 앞으로
우리들이 가는 곳엔 3·8선 무너진다.
들국화도 송이송이 피어라 반기어주는
노들강변 언덕 위에 잠들은 전우야

노래의 1절은 낙동강전투 끝에 연합군이 승기를 잡아 다시 북쪽으로 전진하는 상황을 담았고, 2절은 추풍령 부근을 지나갈 때 두고 갈 수밖에 없던 전우에 대한 슬픔을, 3절은 한강까지 올라가 서울을 다시 찾게 되는 내용을 담고 있으니 거칠 것 없이 앞으로 진군하는 희망을 그리면서도 희생된 전우들을 위로하는 비장한 노래라고 할 수 있다.

"달빛 어린 고개에서 마지막 나누어 먹던/화랑담배 연기 속에 사라진 전우야"

함께하던 전우들을 잃고도 앞으로 가야만 했던 마음을 담은 이런 대목은 부를 때마다 목이 메어온다. 전쟁 당시의 상황을 잘 표현한 이 노래는 만들어지자마자 군대를 방문하는 위문공연을 통해 널리 알려지며 인기를 얻었다. 아마도 당시 국군들의 사기진작에 도움이 많이 되었을 것이다. 그러나 전세가 역전된 1·4후퇴 때는 "사라진 전우야" 이 대목이 불길하다며 금지시켰고 전쟁이 끝난 뒤에야 다시 불려졌다고 하니 단어 하나, 문장 하나가 전쟁 중에는 얼마나 큰 영향을 주었을지 짐작하게 한다.

여자아이들이 고무줄놀이를 하면서 이 노래를 부르게 된 것은 전쟁이 끝난 직후부터였을 것이다. 또한 이 노래는 5·18 민주화운동 중에서 광주 시민들이 불렀다는 증언과 기록도 있다. 전쟁터를 방불케 한 민주화운동의 실상과 참혹한 현장에 많은 시민과 학생들의 감정이입이 되었기 때문에 오래된 노래를 다시 불렀을 것이다.

노랫말처럼 '화랑담배 연기 속에 사라진 전우', 그러니까 그 당시 사망·실종된 분들은 16만여 명이다. 시신이 수습된 3만여 명은 국립 서울현충원에 모셔졌지만, 급히 후퇴하고 급히 전진하느라 아무 곳에나 묻고 돌아서서 나중엔 유골도 찾기 힘든 분들이 지금도 땅속 곳곳에 잠들어 있다는 사실을 이 노래를 다시 들을 때마다 떠올려보곤 한다. 전쟁으로 인한 민간인 희생자나 이름도 남기지 않고 쓰러진 군인들의 유해를 발굴하는 일은 지금도 계속되고 있다. 전쟁이 일어난 지 70년 세월이 흘렀지만 여전히 전쟁을 기억하는 일은 우리나라 곳곳에 남아 있다. 아직도 찾지 못한 화랑담배 연기 속에 사라진 전우를 찾는 일은 살아남은 자들의 몫이 아닐까 싶다.

2. 〈전선야곡〉

전쟁은 지루하게 이어졌다. 밀리고 밀리는 싸움이 2년 가까이 이어지면서 전우의 시체를 넘고 넘어서는 일은 계속됐다. 전쟁은 끝나지 않았고 일상처럼 총소리가 계속되었다. 전쟁터뿐 아니라 마을과 지역마다 가족을 잃은 통곡 소리가 들렸고 고아들의 울음도 일상으로 이어졌다. 이때 나온 노래가 <전선야곡>이다. <전우야 잘 자라>에 이어 역시 유호 작사, 박시춘 작곡의 '전선야곡'은 1951년 가을 전선의 모습을 담아 1952년 봄에 발표되었다.

가랑잎이 휘날리는 전선의 달밤
소리 없이 내리는 이슬도 차가운데
단잠을 못 이루고 돌아눕는 귓가에
장부의 길 일러주신 어머님의 목소리
아 그 목소리 그리워

들려오는 총소리를 자장가 삼아
꿈길 속에 달려간 내 고향 내 집에는
정한수 떠놓고서 이 아들의 공 비는
어머님의 흰 머리가 눈부시어 울었소
아 쓸어안고 싶었소

이 노래는 1951년 10월에 녹음했는데, 당시 노래를 취입한 신세영은 녹음하는 날 어머니가 세상을 떠나는 바람에 목이 메인 상태로 노래를 불렀고, 그 때문에 어머니를 향한 그리움이 더욱 사무치게 녹아들었다고 한다. 6·25전쟁 당시 주로 병사들의 사기 진작을 위한 위문공연을 하던 군예대원으로 활동한 신세영은 최전방을 다니면서 공연을 했는데, 가는 곳마다 군인들은 <전선야곡>을 합창했고 수시로 애창하는 노래가 됐으니 전쟁 당시에도 많이 불려지고 애창된 히트곡이었음을 알 수 있다. 특히 전쟁이 벌어지는 동안은 아들을 군대에 보낸 어머니들의 한과 눈물이 사무치는 시기여서, 이 노래는 어머니를 그리워하는 아들과, 아들을 안타까워하는 모자가 함께 공감하는 노래이기도 했다. 이후로도 수많은 후배 가수들이 즐겨 부르는 등 듣는 이들의 마음을 울리는 노래로 남아 있다.

1980년대 후반 시작해 90년대 후반까지 방송됐던 <우정의 무대>라는 프로그램이 있다. 이 프로그램은 군인들을 대상으로 제작된 프로그램이다. 프로그램 중에는 군인들이 장기자랑으로 휴가증을 얻거나, 어머니가 면회를 와 아들과 만나는 코너가 있었는데 당시 주제곡인 <그리운 어머니>는 많은 사람들을 통해 널리 불렸다.

전쟁 중에 불린 <전선야곡>이나 그렇지 않은 시기에 불린 <그리운 어머니>의 공통점은 헤어져 지내야 하는 가족애를 돌아보게 한다는 점이다. 특히 어머니에 대한 애틋한 사랑을 느끼게 하는 상봉 장면은 프로그램에 참여한 군인들뿐만 아니라 안방에서 시청하는 국민들도 눈시울을 적시게 했다. "엄마가 보고플 때 엄마 사진 꺼내놓고", 이렇게 시작하는 노래의 전주가 나오면 모자 상봉이 이뤄지기 전인데도 눈물을 흘리는 이들이 적잖았다. 군대에 있는 아들들은 그 어느 때보다 어머니에 대한 애틋함과 그리움에 사무친다는 것을 군대에 가본 남자들은 대부분 공감할 것이다.

당시 시청자가 흘린 눈물은 오랜만에 모자가 만난다는 단순한 뜻을 넘어 분단 현실이 낳은 안타까운 마음이 바닥에 깔려 있음을 느낄 수 있다. 갑자기 남북 간에 긴장관계가 조성되면 아들을 군에 보낸 어머니들은 뉴스를 보며 안타까워한다. 끝나지 않은 전쟁, 분단이 낳은 모자관계의 특수한 상황은 <전선야곡>이나 군을 배경으로 나온 노래들의 공통점이다.

총알이 빗발치는 전쟁 중에도 수많은 가요들이 태어났다. 전쟁이 치러진 기간 동안에 상당수의 트로트 가요들이 피난지인 부산과 대구에서 만들어졌다. 변변한 녹음 시설이 없는 상태에서도 음반은 나왔고 대중들은 음반을 사고 노래를 따라 불렀다. 누구나 즐길 수 있는 가요를 통해 그들은 전쟁에서 받은 상처를 어루만졌다.

3. 〈승리의 노래〉

무찌르자 오랑캐 몇백만이냐
대한남아 가는 데 초개로구나
나아가자 나아가 승리의 길로
나아가자 나아가 승리의 길로

<승리의 노래>도 고무줄놀이를 하면서 부르던 노래다. 이 곡을 만든 작곡가이자 성악가였던 권태호

선생은 <봄나들이>라는 노래와 여러 곡의 가곡과 군가를 작곡했다. <승리의 노래>는 1950년 인천상륙작전에 힘입어 서울을 수복하고 압록강에 도달한 뒤 전쟁의 승리를 목전에 둔 시기를 반영한 곡이다. 그러다 다시 연합군이 밀릴 즈음, 중공군을 오랑캐라 묘사하며 힘을 내자는 노래였으니 <전우여 잘 자라>가 불릴 때와는 다른 국면에서 탄생한 노래이다. <승리의 노래>를 작곡한 권태호 선생은 평생을 음악에 바친 인물로 일제강점기에도 변절하지 않고 꿋꿋하게 조선의 희망을 노래한 인물로 알려져 있다.

그러나 매번 전세가 바뀔 때마다 <전우여 잘 자라>, <전선야곡> 등을 작곡해 군인들의 사기 진작에 기여한 박시춘은 일제 말기에도 식민통치와 침략전쟁을 미화하는 국군가요를 만들었던 전력이 있고 한국전쟁 때에는 이렇듯 진군가를 지었다. 이후에도 <낭랑 18세>, <신라의 달밤> 등 히트곡을 내놓으며 시대의 변화를 읽어 국민들의 정서에 부합하는 가요를 만들어냈다. 따라서 박시춘의 대중적 성과와 함께 친일의 흔적들은 가요사를 연구하는 이들이 충분히 살펴볼 필요성이 있다는 점도 놓쳐서는 안 될 것이다.

노래는 사람들의 마음을 묶는 힘이 있다. 특히 진군가는 리듬에 맞춰 함께 부를 때면 공포를 에너지로 바꿔주고 심장을 뛰게 하며 앞으로 전진할 수 있게 한다. 따라서 노래는 수천 명, 혹은 수만 명, 그 이상을 하나로 묶는 힘이 있다. 지은 사람이 어떤 마음으로 했든 당시에는 노래가 있어 전쟁 시에도 마음을 모을 수 있지 않았을까 싶다.

전쟁은 승리를 전제로 한다. 그것은 적의 희생을 인간적으로 바라볼 시간을 용납하지 않는다. 먼저 고지에 도달하고 먼저 강을 넘는 자만이 승리의 깃발을 가져올 수 있다. 승리의 길로 가자는 가사를 외칠 때마다 군인의 피에 중독성 리듬을 심어주는 것 또한 노래이다. 함께 부르면 더욱 힘이 나고 그 리듬과 가사는 극한의 에너지를 불러오기도 한다. 군가와 승리를 기원하는 비장한 노래들은 귀만 자극하는 게 아니라 온몸의 신경을 건드리며 앞으로 나가자며 다짐을 한다. <승리의 노래>도 그런 결연함을 심어주기에 충분했다.

전쟁이 낳은 사랑과 이별의 고통

군인들이 군가를 부르며 전쟁을 치를 때 국민들은 보따리를 싸 들고 아이를 업고 피난길에 올랐다. 많은 이들이 증언한다. 형제가, 이웃이 빽빽한 기차를 타다 옆에서 떨어져 이별하기도 하고 기다리던 배에 함께 올랐다가 옆에서 떨어져 죽기도 했다고…. 그리고 잠깐 눈을 돌린 사이 손잡았던 아이를 놓치고 가족이 바로 옆에서 폭격으로 목숨을 잃거나 하는 일이 비일비재했다고 말이다. 또한 잠깐 기다리라고 하고 누구한테 길을 물으러 가거나 먹을 걸 가지러 간 사이 아이는 눈앞에서 사라지고 그 길로 오랫동안 이별하기도 했다. 그 이별은 30년이 지나 1983년, KBS 이산가족상봉 때 더러 만나기도 해서 온 국민을 목 놓아 울게 했던 것을 기억한다.

1. 〈굳세어라 금순아〉

1953년 강사랑 작사, 박시춘 작곡, 현인 노래로 발표된 <굳세어라 금순아>는 1·4후퇴 때 연합군을 따라 내려온 사람들의 삶을 증언한다. 함경도 지방 사람들은 육로가 아닌 배로 남하했는데 1월 4일이라면 우리나라에서 '소한' 가까운 때고 얼마나 혹독한 계절인가. 뼛속까지 춥고 눈보라가 몰아치는 부둣가에서 배를 기다리다 얼어 죽은 사람들은 얼마나 되었을까. 그 난리 속을 뚫고 용케 살아서 내려온 한 남성은 고단한 삶을 살며 서러워한다.

> 눈보라가 휘날리는 바람 찬 흥남부두에
> 목을 놓아 불러봤다 찾아를 봤다
> 금순아 어디를 가고 길을 잃고 헤매었던가
> 피눈물을 흘리면서 일사 이후 나 홀로 왔다
>
> 일가친척 없는 몸이 지금은 무엇을 하나
> 이내 몸은 국제시장 장사치기다
> 금순아 보고 싶구나 고향 꿈도 그리워진다
> 영도다리 난간 위에 초생달만 외로이 떴다

주인공은 그 무서운 전쟁통에 여동생인지 애인인지 아내인지 모를 금순이를 잃고 혼자 부산으로 내려왔다. 그는 국제시장에서 장사를 하면서 금순이를 그리워하는데, 금순이는 북에 남았는지 남으로 밀려 왔는지 아니면 영영 세상을 떠났는지… 생사조차 알 수 없는 금순이를 기다리고 응원하며 노래의 주인공은 삶을 이어간다. 당시 영도다리는 1934년 준공된 개폐식 다리로 부산의 명물이었다. 북에서 피난 내려오면서 사람들은 혹시라도 살아 있으면 영도다리 앞에서 만나자고 약속했기에 시간 날 때마다 주인공은 영도다리 근처를 서성였을 것이다. 노래의 주인공은 남자인 자신도 살기가 힘든데 어디서 무얼 하더라도 금순이는 얼마나 힘들 것인지 안타까워하고 있다. 짧은 가사의 노래 한 곡이지만 그 안에 숱한 이야기가 담겨 있어 전쟁의 비극을 어떤 노래보다 잘 표현하고 있는 곡이다. 특히 3절을 보면 영도다리에서 그 모습을 보이지 않는 금순이가 아무래도 북에 남았을 것이라고 생각했다는 점을 짐작할 수 있다.

"금순아 굳세어다오 남북 통일 그날이 되면/손을 잡고 울어 보자 얼싸안고 춤도 춰 보자"

주인공은 그때부터 통일을 기다리고 있었다. 노래를 듣고 부르는 우리도 주인공과 헤어진 금순이가 함경도 아지매가 되어 잘 살아주었기를 응원하게 된다. 부디 노래의 주인공이 그 후 남북이산가족 상봉 때나 1983년 이산가족찾기 생방송에서 만났기를….

<굳세어라 금순아>는 국민가요로 사랑을 받기도 했지만 드라마나 코미디 등에서 패러디로 자주 차용되었다. 전쟁 당시의 어려움을 극복하는 뜻을 넘어 어려운 현실을 꿋꿋하게 견디자는 의미로 지금까지 종종 인용되곤 한다.

피난민의 굳센 삶을 격려하며 대중들의 심금을 울렸던 <굳세어라 금순아>. 목청껏 노래를 부른 가수 현인은 많은 실향민의 애환을 달랬고, 그를 기념하는 노래비는 영도다리 앞에서 오가는 이들의 추억을 달래고 있다. 지금도 영도다리는 도개식(跳開式)을 하며 그 시절의 아픔을 되돌아보게 한다. 다리가 들리고 내려오는 상황이 어쩌면 분단의 현실을 상징적으로 보여주는 것이 아닌가 싶기도 하다. 다리가 만나고 끊어지는 상황과 분단이 오버랩되면

서 <굳세어라 금순아>는 여전히 트롯트의 전설로 남아 있다.

2. 〈꿈에 본 내 고향〉

고향이 그리워도 못 가는 신세
저 하늘 저 산 아래 아득한 천 리
언제나 외로워라 타향에서 우는 몸
꿈에 본 내 고향이 마냥 그리워

이 노래는 여전히 설이나 추석 같은 명절 때만 되면 방송에서 자주 들을 수 있는 노래다. 인간이 태어나서 공부나 결혼 혹은 취업을 위해 고향을 떠나야 하는 일은 대개는 필연적이다. 그러나 농사가 평생의 업이던 옛날엔 한번 태어난 고향을 떠나는 일이 많지 않았으며 전쟁 때문에 피치 못해 떠나오게 된 대대손손 살던 고향은 더욱더 꿈에서조차 애틋하고 그리웠으리라.

6·25전쟁이 한창이던 1951년 압록강까지 북진했던 국군이 중공군의 개입으로 후퇴할 때인 1·4후퇴

때, 32세의 나이로 평양에서 혼자 남하한 가수 한정무는 피난 갔던 부산에서 이 노래를 만들었다.

<꿈에 본 내 고향>은 부산에 등록된 인구가 40만, 피난민 200만 명이 모여 있던 당시의 부산에서 고향을 떠나 가족 친지 이웃과 생이별한 피난민들의 입에서 입으로 전해지며 나날이 피눈물이던 남루한 삶을 위로했다. 힘든 시절에 막걸리 한잔이라도 마시면 선술집에서 이 노래가 흘러나왔고, 집으로 돌아가는 골목에서 이 노래를 목 놓아 부르는 피난민들이 얼마나 많았을까. 이 곡은 노래가 먼저 불려지고 나서 음반이 취입된 것으로, 1970~80년대에도 다운타운가에서 노래가 히트된 뒤 노래가 취입된 경우가 있었는데 비슷한 예라고 할 수 있다.

1954년 한복남이 운영하던 도미도레코드에서 발매된 <꿈에 본 내 고향>은 당시에도 크게 히트가 됐지만 이 노래를 부른 한정무는 이토록 절절하고 꿈에도 그리던 고향을 영영 가보지 못한 채 1960년 교통사고로 한 많은 41살의 인생을 마감하고 말았다. 그가 남긴 애창곡은 <꿈에 본 내 고향>과 <에레나가 된 순이>이다.

그는 떠났지만 그의 노래 <꿈에 본 내 고향>은 북녘 땅을 바라보는 실향민을 넘어 고향 하늘을 바라보는 모든 망향민들의 애창곡이 됐다. 1·4후퇴에 고향을 등진 피난민들의 비참한 삶과 향수를 달래던 <꿈에 본 내 고향>은 훗날엔 이농 현상으로 고향을 떠난 실향민들의 삶을 달래기도 했고, 1960년대 중반에는 독일 베를린에 파견된 한국인 간호사와 광부들에게 불려졌으며, 해외에서 살고 있는 교민들과, 이어서 해외에서 근무한 건설현장 파견 근로자들, 이민 가족들이 모인 자리에서 부르면 곧장 눈물바다가 되는 고향 그리는 대표곡이 되었다.

3. 〈단장의 미아리 고개〉

단장(斷腸)은 창자가 끊어진다는 뜻으로 중국의 진나라를 배경으로 한 이야기에서 유래한다. 어미 원숭이에게서 새끼 원숭이를 떼어 놓았더니 자식을 따라 백 리를 뛰어온 어미 원숭이의 창자가 끊어져 있었다고 하지 않는가. 가족들과 생이별하게 만든 전쟁은 많은 이들의 단장을 끊어 놓았다. 그 증거로

남은 노래는 최근 <미스 트롯>이란 프로그램을 통해 인기를 얻은 송가인이 너무나 애절하게 부른 <단장의 미아리 고개>이다.

6·25가 발발하자 파죽지세로 사흘 만에 서울로 진격한 북한군이 넘은 고개가 미아리 고개이다. 낙동강에서 치열한 전투를 벌인 뒤 9월 28일 수도 서울을 수복했을 때 서울을 빼앗기고 평양으로 떠나던 북한군이 남쪽의 수많은 인사와 함께 퇴각을 하게 되는데 그 퇴로가 바로 미아리 고개이다. 당시 미아리 고개는 서울 북쪽의 유일한 외곽도로였고 전쟁이 일어났던 초기 국군과 인민군의 교전이 벌어진 곳이다. 북한군이 후퇴할 때는 남측 인사들이 이곳을 지나 북으로 끌려간 아픈 역사의 현장이었으니 얼마나 많은 사람들이 창자가 끊어지는 아픔으로 가족의 뒷모습을 바라봐야 했을까. 그 역사의 현장을 한 아내의 피눈물을 통해 담은 노래이다.

미아리 눈물 고개 님이 떠난 이별 고개
화약 연기 앞을 가려 눈 못 뜨고 헤매일 때

당신은 철삿줄로 두손 꼭꼭 묶인 채로
뒤돌아보고 또 돌아보고 맨발로 절며 절며
끌려가신 이 고개여 한 많은 미아리 고개

아빠를 그리다가 어린 것은 잠이 들고
동지섣달 기나긴 밤 북풍한설 몰아칠 때
당신은 감옥살이 그 얼마나 고생을 하오
십 년이 가도 백 년이 가도 살아만 돌아오소
울고 넘던 이 고개여 한 많은 미아리 고개

한 가족을 끔찍한 비극으로 내몬 전쟁의 비극을 여성의 눈으로 바라본 절규가 뼈마디에 사무친다. 우리는 이 노래 때문에 전쟁의 포연 속에 몸도 성치 않은 남편이 끌려가며 뒤돌아보는데, 아직 꽃다운 나이의 아내가 그를 보며 통곡하는 사진 한 장으로 전쟁의 한 컷을 머리에 새기게 되었다. 이보다 더 절절한 노래가 있을까 싶은 곡이다. 이후 남편이 돌아오지 않았다면 이 여성이 어떻게 살아가야 했을지, 그녀의 가시밭길 인생은 전쟁 이후 우리 모두의 역사였다고 할 수 있지 않을까.

분명한 시대적 상황을 묘사하고 있는 이 노래는 전쟁 당시가 아니라 전쟁이 끝난 후인 1955년 반야월 작사, 이재호 작곡으로 만들어졌다. 내용은 남편과 아내의 생이별을 생생하게 그리고 있지만 작사가 반야월은 6·25 전쟁통에 둘째 딸을 잃고 찢어지는 가슴으로 민족의 아픔을 담아 노랫말을 지었다고 전해지며, 지금도 불후의 명곡으로 남아 있다.

국립 6·25전쟁납북자기념관 인터넷 사이트에 가면 납북자의 정의를 다음과 같이 하고 있다. '남한에 거주하고 있던 대한민국 국민으로서 6·25 전쟁 중 본인의 의사에 반하여 북한에 의하여 강제로 납북되어 북한에 억류 또는 거주하게 된 자'를 뜻하고 있다. 사이트에 나와 있는 관련 자료에 의하면 북한은 6·25 전쟁 중 정치적 목적으로 상당수의 유력 인사를 납치하는 한편, 부역 동원 및 인민군 충원을 위해 다수의 인원을 강제 동원한 것으로 추정하고 있다. 전쟁 발생 직후부터 정부 차원에서 수차례에 걸쳐 납치자 명부를 작성한 결과 납북자는 10만여 명에 이른 것으로 나타난다.

그중 일부는 단장의 미아리 고개를 넘어갔고, 끌

려간 남편에게 살아만 돌아오라고 애절하게 노래를 부르게 만든 것이 바로 참혹한 전쟁이었다. 지금도 소식을 몰라 전쟁과 대립을 원망하며 지내는 이들이 적지 않은 현실이다. 전쟁을 꼭 기억해야 하는 또 다른 이유 중 하나다.

4. 〈이별의 부산 정거장〉

부산의 중구 중앙동에 있던 부산역은 일제강점기인 1908년 업무를 시작했다. 그리고 1953년 11월 27일 부산역 대화재로 역사가 전부 불타 중앙동에 가설물 역사를 운영하다가 1968년 초량동에 역사(驛舍)를 신축한 역사를 갖고 있다.

일제강점기 당시에는 부산역에서 출발해 경성역으로 가는 열차를 하행 열차라고 불렀는데, 이는 일본 제국의 수도였던 도쿄 방향이 상행이라고 보았기 때문이라고 한다. 그러나 전쟁을 겪으며 부산역은 그저 단순한 역사가 아니라 숱한 가슴 아픈 이별을 담은 장소가 되었다. 특히 1955년 남인수가 발표한 <이별의 부산 정거장>은 부산역이 전쟁의 아픔을 담은 가요사에 길이 남을 역사적인 장소였다는 것을 기록해 주고 있다.

보슬비가 소리도 없이 이별 슬픈 부산 정거장
잘 있어요 잘 가세요 눈물의 기적이 운다
한 많은 피난살이 설움도 많아
그래도 잊지 못할 판잣집이여
경상도 사투리의 아가씨가
슬피 우네 이별의 부산 정거장

노래는 200만 명이 피난살이를 하면서 복작거리며 지냈던 부산과 전쟁이 끝나고 피난 왔던 이들이 환도열차에 오르는 모습을 담았다. 오직 생존을 위해 살던 시절, 타향살이 설움이 없을 수 없었겠지만 그동안 정든 사람들이 많았다. 겨우 비 피하고 살던 판잣집도 그렇고 경상도 사투리를 쓰는 아가씨도 정이 듬뿍 들었던 데다 골목을 이웃하고 살던 사람들도 모두 정겨운 사람들이었다. 이들을 두고 떠나야 하는 사람들은 환도열차를 타고 돌아가면서도 마음 한편은 아리고 슬펐을 것이다. 떠나보내는 심정이 애달픈 노래가 바로 <이별의 부산 정거장>이다. 특히 이 노래의 3절을 보면 절절하다.

"서울 가는 십이열차에 기대앉은 젊은 나그네/시름없이 내다보는 창밖에 등불이 존다/쓰라린 피난살이 지나고 보니/그래도 끊지 못할 순정 때문에/기적도 목이 메어/소리 높이 우는구나"

이렇게 피난살이를 하는 동안 만난 사랑과도 이별을 해야 했다. 떠나가는 서울행 십이열차 차창에 매달려 우는 경상도 아가씨와의 헤어짐이 특히 애달팠다. 그러나 이 노래의 제목은 '이별의 부산역'이 아닌 '이별의 부산 정거장'이다. 정거장은 무엇인가? 잠깐 머물렀다 떠나는 곳이다. 당시에는 기차역을 그저 '정거장'이라고 불렀는데, 그래서 '부산역' '대전역'이라 칭하지 않고 '부산 정거장' '대전 정거장' 이렇게 불렀다고 한다. 당시의 정서로도 그렇지만 어차피 피난살이가 끝나면 돌아가지 않으면 안 될 곳이 잠시 머무르는 정거장, 부산이었던 것이다.

그래서인지 이 노래는 6·25전쟁 무렵의 노래 중에

서 유난히 리듬이 밝고 경쾌하다. 정든 곳을 뒤로 하고 떠나는 슬픔도 있지만 되돌아가야 할 곳에서 시작할 새로운 출발의 희망도 있는 것이다. 그때 남겨진 경상도 아가씨는 언제까지 슬픔을 안고 있었을까.

대전의 다리와 기차역이 만든 노래

대전은 일제강점기에 철로가 놓이고 당시 도청 소재지였던 공주가 아닌 대전에 철도역이 생기면서 크게 발전한 도시다. 대전역에서 나오면 목척리라는 마을이 조선시대부터 있었는데, 그때 마을 앞 대전천에 징검다리가 놓여 있었다. 그 다리는 마을 이름을 따서 이를 '목척다리', '목척교'라 불렀다가 일제강점기에 대전 시가지가 동서로 넓어지면서 1912년, 목척교 자리에 나무다리가 놓였다. 1920년대엔 다리가 크게 확장되었으며 해방 후 대전교 자리에 다시 다리를 증축했다.

1. 〈못 잊을 대전의 밤〉

대전의 목척교는 6·25전쟁 직후 만남의 광장이었다. 한국전쟁이 발발하자 대전은 피난민들로 가득했다. 피난을 내려가다 대전에서 머물게 된 사람들은 대전에서 조금만 기다리면 곧 수복이 될 거란 기대가 있었고, 사태가 악화되어도 이곳이 교통의 요충지이기 때문에 다른 지역으로 쉽게 움직일 수 있을 것이란 생각을 했다. 당시의 피난민들은 가족들과 헤어지며 대전의 목척교에서 만나자는 약속을 해두곤 했다. 휴대폰도 없고 일반전화를 하기 어려웠던 6·25전쟁 전후에는 대전의 목척교가 부산의 영도다리처럼 만남의 광장 역할을 한 것이다. 대전의 목척교에서 만나자는 말이 유행어 같았던 시절, 많은 이들은 다리 위를 헤매며 그리운 가족의 이름과 얼굴을 찾았다.

그러다가 죽은 줄 알았던 가족과 이웃을 만나 펄펄 뛰며 기뻐하던 모습들은 1983년 방영된 TV 프로그램 <이산가족찾기>에서 본 바로 그 장면이었을 것이다. 따라서 당시 목척교 위 풍경은 매일매일이 만남의 눈물, 애타는 눈물이 더해져 그 아래 대전천은 더 힘차게 흘렀을 것이다.

6·25전쟁이 끝난 무렵의 목척교 아래 대전천은 물고기가 많았고 주변에 있던 초가지붕의 주막집에선 밤새 호롱불 켜놓고 술잔을 주고받는 사람들이 많았다. 낮에는 아이들이 멱 감는 물 첨벙거리는 소리, 밤에는 목욕하는 여인네들의 찰박찰박하는 물소리가 조심스레 들려오기도 했다. 다리 위에 둥실 달이라도 뜨는 밤이면 은은한 야경과 함께 젊은 연인들의 수줍은 데이트가 정겨웠다고 한다.

6·25전쟁 때 헤어진 사람들을 찾아 인파가 많이 모이다 보니 당시 대전천 목척교 주변에는 빨래하러 나온 사람들, 아이스께끼 장사, 그리고 이런 저런 종류의 만남이 많이 성사되기도 하는 북적거리는 곳이었다. 목척교 위에서 만나 사랑하고 결혼해서 잘 사는 사람들도 있다는데, 이런 풍경은 1961년에 나온 안다성이란 가수의 노래에서도 그대로 녹아 있다.

가로등 희미한 목척교에 기대서서
나 홀로 외로이 이슬비를 맞으면서

지나간 그 옛날을 안타깝게 불러보는
첫사랑 못 잊는 대전의 밤이여

오늘도 가랑비 소리 없이 내리는데
쓸쓸한 이 마음 의지할 수 없는 이 몸
바람만 불어도 흔들리는 이내 신세
첫사랑 못 잊는 대전의 밤이여

1962년 발표한 안다성의 노래 <못 잊을 대전의 밤>은 전쟁을 겪고 전쟁의 상흔을 회복하려 하는 대전의 풍경을 담고 있다. 어쩌면 잃어버린 가족이나 이웃을 찾아 대전역 부근 목척교 근처를 서성이다 눌러 살게 된 사람들도 대전엔 많을 것이다.

대전은 당시만 해도 토박이보다는 남쪽에서 올라오고 북쪽에서 내려오고 사방팔방에서 모인 사람들이 많은 뜨내기들의 도시였다. 전국 어디로든 오가는 길목이어서 찾고 싶은 사람을 만날지 모른다는 기대감으로 하루하루 살아가는 사람들이 많았을 것이라는 추측이 가능하다.

2. 〈대전 부르스〉

<못 잊을 대전의 밤>보다 더 일찍 나온 대전의 노래가 바로 대전의 정체성과 연결되어 있는 안정애의 <대전 부르스>다. 여러 타 지역 사람들이 오가다 눌러앉아 살게 된 도시지만, 경부선이 생기기 전의 대전은 그저 다른 행정구역 안에 편입된 작은 곳이었다.

그러다가 경부선과 호남선이 놓이자, 철도역 주변과 인동에 일본인들이 정착을 하게 되고 학교와 우체국이 생기고 신작로가 만들어졌으며 목척교가 세워진다. 또한 1932년 공주에 있던 충남도청이 대전으로 옮겨오면서 인구는 급격히 증가하게 됐고 해방 후 1949년에 대전의 지명은 정식으로 '대전시'가 된 것이다. 그리고 그 이후 6·25전쟁으로 전국의 피난민들이 들어왔으며 타지인들의 정착이 많아졌다. 또한 전쟁 이후 농촌을 떠나 도시로 이동한 농촌 출신 청년들이 대전으로 유입하면서 대전 인구의 상당 부분을 호남 인구가 메우게 되기도 했다는 분석이다.

1905년 경부선이 놓이고 1914년 호남선 철도가 생기면서 대전은 교통의 중심지가 되는데, 서울에서 오는 기차가 호남과 영남으로 갈라지면서 이별의 이미지를 담은 <대전 부르스>가 탄생한다. 1959년 제33호 완행열차는 전날 서울을 출발, 대전역에서 멈춘 다음 새벽 0시 50분 다시 출발해 종착역인 목포역까지 갔다고 한다. 대전역에서 0시 50분에 출발한다는 느낌이 사뭇 비장한 느낌으로 다가온 것이 아닌가 한다.

지금은 대전역과 서대전역이 따로 있어 대전역에서는 호남선이나 전라선을 오가는 열차를 탈 수 없지만 1960년대 초까지 대전역은 분기역 영업을 했기 때문에 대전역에서도 경부선뿐만 아니라 호남선 등을 운행하는 열차를 탈 수 있었다. 따라서 대전역 플랫폼에는 승객들이 항상 초만원이었고 완행열차는 급행열차에게 길을 비켜주느라 항상 10여 분 이상을 정차해 있어야만 했다. 그 덕분에 10분 정차 시간에 급히 먹던 대전역 가락국수는 호황을 누렸다.

<대전 부르스>도 이런 대전역의 역사를 간직하고 있다. 오랫동안 열차 승무원으로 일했던 작사가 최

치수가 서울의 신세기레코드사에서 일하게 된 뒤, 열차를 타고 출장을 갈 때마다 대전역에서 보게 되는 풍경을 노래 가사로 써냈다고 한다. 경부선과 호남선이 갈라지는 대전을 배경으로 승객들의 이별과 안타까운 마음을 담은 <대전 부르스>는 뭔가 사연 많아 보이고 극적이고 애틋하고 아련하고 슬프다.

나중에 사람들은 당시의 대전발 0시 50분 목포행 완행열차가 대전에서 출발한 것이 있었는지 운행 기록을 찾고 당시의 정서를 이해하려고 노력한다. 노래는 역사의 기록이기도 한 것 이다. 실제 그 시간에 운행한 열차가 있었는지도 중요하지만 그보다는 대전이 그렇게 '이별의 말도 없이 이별하는 장소', 그런 갈림길의 도시라는 정체성을 <대전 부르스>에 담았다는 점이 중요하지 않을까. 이후 조용필의 노래로 더욱 유명해졌지만 처음 이 노래를 부른 '블루스의 여왕' 안정애의 창법 또한 너무나 구슬퍼 대전에서는 수시로 이런 안타까운 이별 장면이 연출되었을 것 같은 느낌을 불러일으킨다.

그 시대의 대전은 경상도와 전라도에서 많은 사람들이 찾아오던 곳이었기 때문에 대전역에 가면 전쟁통에 잃어버린 누이며 어머니, 아버지, 오라버니를 만날 수 있을 것만 같은 느낌을 주었을 것으로 짐작된다. 아마 대전역에 가면 잃어버린 누군가를 찾을 수 있지 않을까, 늘 설렜을지도 모른다. 저 앞에 가는 저 사람이 누이처럼 보이고 오라버니처럼 보이고 혹은 고향에서 헤어진 순이처럼 보여서 어깨라도 툭 치며 인사를 건네 보고 싶은 그리움의 장소였을 터인데, 그러고 보면 대전역은 이별의 장소뿐 아니라 만남의 장소기도 했던 것이다 .

그렇게 모두의 마음에 잠자고 있던 슬픔인지 그리움인지 확실치 않은 어떤 감정을 건드려서 그랬는지 <대전 부르스>는 발매 사흘 만에, 서울과 지방 도매상에 주문이 쇄도했고 공전의 히트를 기록했다. 또한 이 곡은 1963년 개봉한 최무룡·엄앵란·신성일 주연의 영화 <대전발 0시 50분>에 삽입된 덕분에 더욱 유명해졌는데, 전쟁 후 치열하게 살던 사람들은 고향으로 돌아갈 때 혹은 출장을 오갈 때 대전역에 잠시 머무르며 <대전 부르스> 리듬에 맞춰 가락국수를 흡입했는지 모를 일이다.

반려가요에서 동행가요로

전쟁이 터지고 비극이 이어지는 와중에도 가요는 만들어지고 불려졌다. 당시 가수로 활동하던 이들은 주로 '군예대원'이라는 이름으로 위문공연 활동을 하며 힘겨운 전쟁에 나가는 병사들을 격려했는데, 이들은 위문공연을 하다 불의의 사고를 당하더라도 국가에 책임을 묻지 않겠다는 도장을 찍고 나가야 했다고 한다.

이렇게 절박한 상황 중에서도 노래를 작곡하고 부르고 레코드는 만들어졌다. 방음 시설이 되어 있는 녹음실을 이용할 수 없었으니 소음이 덜한 밤 시간에 담요를 겹겹이 둘러놓고 노래를 녹음했다고 한다. 비행기나 총소리라도 들려오면 소리가 멈추기를 기다리며 녹음했다. 당시의 가수들은 전쟁 중에 오직 할 수 있는 일을 했을 뿐인지 모르지만 그 덕분에 국민들은 자신들의 당시 심정을 대변해주는 노래를 듣고 부르며 참혹한 시간들을 견뎌내고 희망을 찾아 끔찍한 기억에서 잠시나마 헤어나올 수 있었다.

최근 트로트가 젊은 남녀 가수들에 의해 신선한 바람을 일으키고 있다. 그것은 트로트가 우리의 아주 중요한 역사와 함께했던 장르기 때문이기도 하고 우리 민족의 한과 슬픔, 그리고 부모님 조부모님들의 이야기를 담고 있기에 구구절절 새삼스레 가슴을 울리는 것이 아닐까 생각해보게 된다. 총알이 빗발치는 전쟁터에서 급하게 녹음되고 불렸지만 그 노래들은 당시의 우리들 마음이고, 다시는 겪지 않아야 할 슬픔과 비극을 생생하게 증언하고 있기에 노래와 함께 전쟁은 떠올려지곤 한다.

한국전쟁을 연구한 『전쟁과 사회』(돌베개, 2000)의 김동춘 교수는 한국전쟁을 바라봐야 할 시각에 대해 이렇게 정리하고 있다.

"우리는 한국전쟁에 접근할 때에 냉전적, 국가 중심적 시각에서 벗어나 일단은 민족 중심적 시각을 회복해야 하며, 더 나아가 민족 문제를 사회적, 인간적 차원에서, 즉 사회 구성원의 차별, 고통과 희생의 차원에서 접근해야 한다. (중략) 한국전쟁 과정에서 민중이 당한 비참함과 인간 존엄성의 훼손은 오늘날 우리 사회에 잔존하고 있는 야만의 흔적들, 즉 극우반공주의의 광기, 소외계층의 궁핍과 사회적 배제 등의 현상과 그 뿌리가 같다. 우리는 한국전쟁을 인간의 존엄성을 앗아가는 이러한 세계자본주의 그것의 정치적 표현인 국제적 군사대결체제라는 틀 속에서 보아야 하고, 한반도는 물론 전 세계에서 항구적인 평화의 구축과 인권의 실현이라는 전망을 놓치지 않은 채 그 부정적 유산을 청산할 길을 찾아야 한다." (408~409쪽)

6·25전쟁과 그 직후에 불린 수많은 트로트들은 전쟁의 상처와 이별, 삶의 애환 등을 다루며 서민들을 보듬어 왔다. 당시의 노래는 정서적 감정판을 두드리며 그들의 가슴을 후벼 파기도 했다. 전쟁 발발 70년, 공교롭게도 트로트는 새로운 전성기를 구가하고 있고, 남녀노소 흥얼거리게 하는 '국민 장르'가 됐다. 새로운 시대에 불리는 새로운 트로트가 휴전이 아닌 종전의 평화를 기리는 노래로 접근한다면, 전쟁가요의 맥락을 새롭게 이어받는 하나의 방법이 아닐까 싶기도 하다.

과거의 트로트가 한과 슬픔, 기다림과 이별을 푸

는 서민들의 '반려가요'였다면, 지금의 트로트는 전쟁을 이겨내고 평화로 가는 미래세대의 '동행가요'로 우리 곁에 오래 머물기를 바란다.

소설

오르골의 노래

조영여

태초의 노래

"혼자가 좋지 아니하니 너의 짝을 지어 주겠노라." 엘로힘*이 처음 그를 내게 데려온 날, 나는 그의 늠름하고 튼실한 근육과 나를 바라보는 그의 눈빛에 떨렸다. 어둠은 빛을 통해 드러나듯 그를 보고서야 알았다. 아득한 그리움. 그는 가지지 못한 나였다. 아담이 직선이라면 나는 곡선이었고, 아담이 빛나는 태양이라면 나는 은은한 달빛이었다. 그는 나를 여자라 불렀고 나는 그를 남자라 불렀다. 엘로힘. 우린 그의 모습을 나눠 가졌다. 자연이 그의 모든 것을 나눠 가졌듯이. 나는 그가 나와 아담을 통해 새로운 생명이 이 지상에 가득 빛나기를 바란다고 믿었다. 그래서 그가 우리에게 준 모든 것을 사랑했다. 생명의 나무는 물론이고 '너희가 먹으면 죽게 될지도 모르니 조심하라' 일러준 선악과까지도.

아담은 '반드시 죽게 될 것'이라고 했다지만, 나는

---

* 창세기 1장의 하느님을 칭하는 이름

다만 '조심하라'고. 그렇게 이해했다. 그가 우리에게 준 것이라면 그것이 정말 우리를 해하려는 것일 수 있을까. 그가 우리를 그의 형상대로 만들었다면 선악과에도 그의 뜻이 담겨 있을 것이다. 그는 우리의 자유를 억압하고 통제하여 당신 발밑에 두려 한 게 아니다. 우리는 그와 같이 영원 속에 머무르게 될 것이며 그와 같이 자유로울 것이다.

사실 나는 선악과의 존재 자체도 종종 잊어버렸다. 내겐 단지 엘로힘이 준 모든 나무 가운데 하나에 불과해 보였으므로. 그러나 아담은 달랐다. 그는 선악과를 두려워했고, 그럴수록 그의 눈길은 거기에 머물렀다. 나를 바라보던 그의 눈빛이 더 자주 그것을 향하고 있다는 걸 인식한 날. 간절히 원하면서도 다가서지 못하는 그를 그 두려움으로부터 벗어나게 해주고 싶었다. '저 열매를 먹고 나면 알게 될 거야. 정말 아무 일도 일어나지 않을 거라는 걸. 그는 의심이 너무 많아. 두려워할 건 아무것도 없다는 걸 알려 주고 싶어.' 그렇게 나는 속삭였고, 결국 그와 함께 그것을 먹었다. 그날 나에게 무슨 일이 일어났던 걸까? 그는 나에게서 온몸을 휘감아 도는 뱀의 영혼이라도 본 것일까?

엘로힘이 그를 불렀고, 그는 몸을 숨겼다. 나는 숨은 아담을 지켜보았다. "당신이 준 그 여자 때문에 내가 그것을 먹었나이다." 두려움에 떨며 변명하는 아담. 그렇게 시작되었다. 문제의 본질은 선악과 열매가 아니었다. 나는 기어코 보아 버린 것이다. 든든한 울타리가 되어 줄 것만 같던 그의 건장한 팔과 다리는 사실 자신의 유약함을 가린 허세에 불과했다는 것을. 그는 나를 저주했다. 모든 게 내 탓이라고. 그리고 그는 엘로힘마저 저주했다. 당신이 보낸 저 여자 때문이라고.

나는 그가 원하는 걸 주었을 뿐이었다. 그의 눈빛이 간절히 그것을 원했기 때문에. 그는 나를 조종한 것일까? 그가 내 든든한 울타리일 것임을 의심해 본 적이 없었다. 엘로힘을 오직 자애롭고 사랑이 가득한 자로 믿었듯이. 그러나 나는 거기서 발가벗겨진 그의 모습을 보고야 말았다. 나를 사랑한다던 말들은 모두 거짓이었을까? 그가 나를 이용했을 뿐이라는 생각이 뇌리에서 떠나질 않았다. 엘로힘은 왜 내게 그를 데려온 것일까?

그의 두려움은 이제 내 것이 되었고, 나는 그를 증오했다. 그의 늠름한 팔뚝은 폭압이 되었고, 나는 폭압에 굴복할 수밖에 없는 힘없는 약자였다. 나는 피해자였고 내게 그는 박해자일 뿐이었다. 공포는 떨쳐버리려 할수록 끈덕지게 달라붙어 나는 그를 저주하면서도 떠나지 못했다. 뱀처럼 뒤엉켜 꼬리에 꼬리를 물고 이어지는, 감염된 이 불안은 어둠 속에 앉아 각자 제 얼굴만을 바라보고 있다. 죽음이 꼬리를 무는 이 전쟁은 언제쯤 끝이 날까?

감염

감염은 그렇게 시작된 것일까? 여자는 의심한다. 마치 감기가 시작될 것처럼 으슬으슬한 냉기가 온몸에 퍼지는 듯싶더니 갑자기 아래로부터 열감이 훅 치솟아 오르며 머리를 압박한다. 이어 식은땀이 흘렀다. 고층 엘리베리터 안에서 멍하니 서 있다 한순간 추락하듯, 하루에도 몇 번씩 집채만한 파도가 불쑥 밀려와 여자의 몸 구석구석을 휘감아 돌다 사라지는 것이다.

다시 피로감이 몰려왔다. 여자가 집 밖을 나가지 않은 지 벌써 2주째다. 정확히 말하면 마스크를 구입하기 위해 약국에 가거나 마트에 들러 장보기. 그리고 한 시간 정도의 산책. 그 외 어떤 모임도 여자는 거부했다. 여자는 중국 우한과 대구를 중심으로 퍼진 바이러스에 대한 이야기가 떠돌 때부터 어쩌면 이것은 현대의 페스트가 될지 모른다는 불안에 휘말렸다. 실시간으로 퍼지는 정보의 속도만큼 여자의 맥박은 빨라진다. 흉통일까? 가슴 어딘가 찌릿하다. 여자는 심리적 불안이 몸에 영향을 끼치는 것인지 몸의 문제가 불안을 야기하는지 답을 알 수 없다. 다만 지금 자신의 몸과 마음이 분명 예전 같지 않다는 사실만을 확인할 뿐이다. '이건 분명 내가 알고 있는 내가 아니다. 도대체 이 불안의 정체가 뭘까?'

여자는 그다지 건강을 염려하며 살아온 편은 아니었다. 약골이지만 골골 팔십이라고 그럭저럭 그렇게 늙어갈 거라는 걸 조금도 의심하지 않았다. 올해 초에 접한 주역점. '대운의 시기이나 상문살이 들었으니 몸을 특히 조심할 것. 장례식에는 가지 말 것.' 분명 여자는 이를 건강에 주의하라는 말 정도로 대수롭지 않게 여겼다. '이젠 운동도 하며 몸에 신경 쓸 나이도 됐지. 더 이상 게으름 부리지 말고 산책할 것.' 오히려 여자는 '대운의 시기'라는 말에 방점을 찍었다. 긴 겨울잠에서 깨어나 기지개를 펴는 봄. 이는 다시 살고자 하는 욕망이 강하게 일어서는 자신의 마음을 정확히 반영하고 있었다. 언젠가부터 여자는 명리나 주역을 자기 내면의 변화를 확인하는 거울이라 여겼다. 그리고 이러한 자신의 변화는 우여곡절의 삶이 깨닫게 해 준 겸손의 나이테라고.

어쩌면 자신이 느끼는 이 불안감은 꽃샘추위 같은 것인지도 모른다. 꽃 피기 전 부는 매서운 바람 같은. 여자는 이를 한동안 잊어버리고 있었던 '살아 있음'의 증거로 이해해 보려 했다. '내 편도체가 살기 위해 본능적으로 불안을 감지한다면, 전전두엽의 이성이 이를 조절해 줄 것이다.' 그렇게 애써 여자는 자신의 감정을 다스렸다. 산책을 나서면 거리는 아무 일도 없는 듯 평온했다.

여자는 최근 아파트 내 기침 소리가 더 잦아지고 있다고 느낀다. 남편 또한 며칠 전 밤늦게까지 술을 마신 뒤부터 분명 기침이 더 잦아졌다. '굳이 이 시국에 약속을 잡고 밤늦도록 술을 마실게 뭐람. 그러다 혹 감염이 되어 누군가에게 치명적 해라도 끼치면 어쩌려구.'

남편은 평소와 다를 바 없이 세상이 잘 돌아가고 있다고 믿는다. 집에서 핸드폰만 쳐다보고 있으니 문제다. 이 동네엔 아직 확진자가 한 명도 나오지 않았는데 도대체 뭐가 걱정이냐고. 그러나 여자는 생각한다. '만약 나처럼 두려워하면서도 검사를 꺼리는 이들이 숨어 있다면? 당신처럼 절대 자신은 아니라고 확신하는 이들이 실제 감염자라면? 데이터가 진실을 증명할 수 있을까?' 보이지 않는다고 해서 없다고 단정할 수는 없다.

"알 수 없잖아. 게다가 무증상 감염도 30프로를 넘는다며? 지금 우리가 감염되었는지 아닌지 어떻게 알 수 있지? 바이러스가 퍼졌는데도 증상이 없다면 '확진자 없음'이 무슨 의미가 있어?"

"알 수 없고 증명할 수 없으면, 말하지 마."

남편은 단호하다. 남편에게 여자는 쓸데없는 근심과 걱정을 달고 사는 건강염려증 환자일 뿐이다. 남편은 늘 확실하게 아군과 적군을 구별했다. 좋은 놈과 나쁜 놈도 명확했다. 그런 남편의 확신에 여자는 종종 자신의 우유부단한 결정장애를 떠넘길 수 있었다. 그러나 그만큼 그 불통 앞에 턱 숨이 막혔다. 여자가 보기에 알 수 없고 증명할 수 없다면, 그것은 확신의 근거가 되지 못한다.

"그래도 조심해야 하니 당분간 사람 좀 만나지 마. 당신이 아니라 당신보다 약한 사람들을 배려한다는 마음으로라도 제발 마스크 좀 꼭 쓰고."

사실 일이 되어가는 방향은 아무도 모른다. 매일 보도되는 감염 관련 뉴스를 여자가 점검하는 동안, 남편은 신경질적으로 채널을 돌린다. 그는 정작 데이터를 모으는 일에도 관심이 없다. 기저질환이 있다면 더욱 조심해야 한다. 남편은 기관지도 좋지 않고 고혈압도 있다. 여자는 남편의 안색 뒤에 숨어 미세하게 떨고 있는 그림자를 본다. '내 불안의 배후엔 늘 저게 숨어 있다. 그가 은폐하고 있는 어떤 것.

안 보고 싶지만 보이는 것. 그것은 또다시 내 몫의 책임이 되어 돌아올지도 모른다.' 여자는 갑자기 훅 분노가 치민다. '상식을 지키는 자신에게 도리어 큰 소리치는, 오만하고 무례한 그들.'

그러나 여자가 통제할 수 있는 것은 아무것도 없다. 여자는 자신의 불안과 염려가 차라리 기우이길 바랄 수밖에 없다. 자신이 과민반응을 하고 있다고 믿는 편이 자신과 가족 모두에게 편한 결론이기 때문이다.

'그런데 정말 봉쇄하지 않아도 될까? 입국 금지도 하지 않고 첩자처럼 교묘히 활동하는 저 바이러스를 어떻게 잡을 수 있다는 걸까? 모두를 살리려다 더 많은 희생을 치르는 결과를 낳게 된다면?' 뉴스를 보다 여자는 다시 울컥 치밀어 오른다. 그리고 불안 속에서 흔들리는 자신을 본다. 다시 또 그 망령이 살아나고 있는 건지도 모른다. 살아남기 위한 욕망이 어떻게 타자를 배제하려 드는지. 과도한 공포가 어떻게 이성을 마비시키는지.

'70년 전 그때도 그랬어. 예방학살. 피난 가려는 그들을 앞에 두고 한강 다리를 폭파했고, 전향한 이들

중 첩자가 있을지 모른다는 이유로 닥치는 대로 죽였지. 오직 두려워서.'

환청이 들린다. 여자는 모든 가능성을 상상하며 적절한 길을 찾으려 했지만 과잉정보는 도리어 판단 불능과 결정장애를 일으키며 아무것도 할 수 없는 심정지 상태만을 낳을 뿐이었다. 여자는 이미 정보 감염병에 걸린 건지도 모른다.

불안의 뿌리

까톡. 까톡. 떠도는 찌라시들. 현대판 삐라다. 고모는 옳은 소식을 널리 알려야 한다는 믿음으로 복음을 전파하는 중일 게다. '이 감염병는 종말에 벌어지는 이적 현상이다. 이제 공산 정권은 궤멸하고 이 땅에 하느님의 나라가 도래할 것이다.' 고모는 언젠가부터 광화문 광장을 여자와 다른 이유로 사랑하게 되었다. 하느님 나라에 대한 고모의 믿음과 자유 우파를 수호해야 한다는 고모부의 믿음은 악착같이 살아낸 당신들의 이력만큼 억셌다.

살기 위해 아이를 등에 업고, 번데기를 팔고 호떡

을 팔고 함바식당을 운영해 온 고모였다. 상이군인이었던 고모부의 의처증과 폭력을 견딜 수 없어 몇 번의 짐을 쌌고, 생을 놓아 버리려고도 했지만 하느님께 의지해 살 수 있었다고 했다. 고모는 하느님이 당신에게 보여준 기적을 믿었다. 고모의 종잣돈으로 고모부가 개발지역에 사둔 땅값이 고공행진을 했고, 덕분에 두 사람은 다시 의기투합할 수 있었다. 여자는 실체 없는 공산당 정권이라거나 자유 우파라는 말 속에서 당신들의 생애에서 빛나던 순간에 대한 기억, 영원히 붙잡고 싶은 꿈, 그러나 그것이 곧 거품처럼 꺼져버릴지도 모른다는 불안을 함께 읽는다.

여자 역시 반공교육을 받은 세대였다. 어릴 적엔 종종 공산당이 쳐들어와 집을 포위하는 꿈을 꿨다. 꿈속에서 그들은 모두 총을 든 빨간 늑대였다. 똘이 장군처럼, '공산당이 싫어요'를 당당하게 외치다 죽은 이승복처럼 여자도 용감해야 했지만 늘 그러지 못했다. 숨어서 가슴을 졸이다 잡힐 즈음 깨어나면, 머리맡에 웅크리고 앉은 할머니가 장에 내다 팔 고구마 줄기를 다듬고 있었다. 여자는 늘 궁금했다.

'도대체 할머니는 언제 주무실까?' 꿈속 공포가 한 뼘씩 여자의 키를 키우는 동안 잠 없는 할머니의 근면은 티끌 모아 태산을 이루듯 마을 인근의 땅을 끌어 모았다.

'빨간 늑대'의 공포에서 벗어날 무렵, 새마을 지도자상을 받은 자랑스러운 할머니의 빛 뒤에는 또 어떤 그림자가 숨어 있을까를 여자는 어렴풋이 생각하기 시작했다. 고모가 그런 억척을 낼 수 있었던 힘은 분명 근면 성실한 할머니의 유산이었다. 여자 역시 할머니를 닮고자 했다. 그러나 오랜 시간 여자를 괴롭힌 것은 그들의 기대에 부응하지 못하는 죄의식이었다.

자유 우파. 어떤 자유일까? 여자에게 이곳은 먹고 살기 위해 끝없는 경쟁에 내몰리는 고속열차의 감옥이었다. 현기증이 났다. 여자는 딱 생존할 만큼만 일하자고 다짐했다. 그리고 남은 시간은 하고 싶은 것을 할 자유. 아무것도 하지 않아도 될 자유. 생산과 쓸모라는 그 죄의식으로부터 벗어나 있는 그대로 이 생을 맘껏 느낄 자유. 여자는 점점 자유를 그렇게 이해해 갔다. '고모에게도 그와 같은 자유를 하

느님이 허락하시기를.'

오랜만에 전화해 안부를 물었다. 고모는 '세상에 이런 난리통이 어딨냐. 다들 굶어 죽겠다고 난리다.'라고 답했다. 어쩌면 더 별스런 세상도 참아낸 고모에겐 이 감염병은 정말 아무것도 아닐지 모른다. 여자는 불쑥 물었다.

"그러게요. 난리지요. 고모, 큰할아버지 어떻게 돌아가셨는지 아세요? 그리고 위에 고모도 한 분 더 계셨다면서요? 두 분 다 6·25 때 돌아가셨다고 들었는데."

"글쎄다. 내가 뭘 알겠냐. 인공 치하였고. 그놈들이 총으로 쐈다고 들은 거 같은데. 그게 다네. 큰아버지 집에 가서 잠도 자고 그랬는데. 언니는 그때 전염병이 돌아 죽었다고 들었고. 정작 뭔 일이 있었는지 하나도 생각나질 않네."

아버지 역시 기억이 없었다. 거적이 덮인 수레에서 흘러나온 핏자국들. 그게 아버지에게 들은 전부였다. 인공치하였는지, 인공이 물러가고 난 후 그리된 건지 아버지도 잘 모르겠다고 했다. 고모가 열두 살. 아버지가 열 살 때 겪은 일이었다. 그러나 당시의 일에 대해선 이상하게도 이 가족은 아는 게 없다.

반면 엄마는 당시 자신의 나이보다 훨씬 더 많은 기억을 품고 있었다. 엄마의 기억에는 술을 마실 때마다 외할아버지가 술술 풀어낸 당시의 상황이 보태어졌을 것이다. 외가는 무사했다. 경찰에 자원한 작은 외할아버지 덕에 외할아버지는 부역을 했어도 빨갱이로 몰리지 않고 무사히 살아남을 수 있었다고. 그리고 당시의 상황을 전하는 엄마의 이야기는 끝없이 이어졌다.

'사람이 죽고 산 일. 그 일을 기억하는 자와 기억을 묻은 자의 사이엔 어떤 차이가 있을까.' 여자는 문득 한국전쟁 당시 이곳에서 벌어진 일들에 대해 전혀 관심이 없었던 자신의 무연함에 섬뜩해졌다. 여자는 오르골을 불러냈다. '이젠 정말 당신의 노래를 듣고 싶다. 언제 어디서 어떻게 내 집에 오게 되었는지. 당신의 진짜 사연 말이다. 그건 곧 나의 뿌리이기도 할 테니까.'

사연

오르골이 여자에게로 온 건 20년 전쯤 일이었다. 결혼하고 1년 쯤 지났을까? 임신 중인 여자에게 남편이 오르골을 건넸다. 아주 오래된, 다갈색의 단단한 자작나무 상자였다. 여자의 남편은 건설 현장 관리인이었다. 1998년 대전 월드컵 경기장 터 닦기 공사 중 다량의 뼈와 함께 유물들이 발굴되었다. 조사팀은 구석기 시대의 유물과 한국전쟁 희생자들의 유골로 추정했다. 당시 남편은 마치 아이를 안고 있는 여인인 듯한 유골을 보았고, 그 주변에서 오르골을 발견해 자신도 모르게 그것을 주머니에 넣었다고 했다. 그 시기에 이런 오르골이 흔했을 리 없다며 당시 유골과의 관련성을 부정했지만 여자는 느낄 수 있었다. 그것을 건네며 어떤 감정들이 남편의 가슴을 스치고 지나갔을지를.

오르골은 땅 속에 묻혀 50년을 지냈다고 보기엔 놀라울 정도로 깨끗했다. 따라서 남편의 말처럼 한참 후의 물건인지도 모른다. 나무 상자를 열면 앉아 있는 성모마리아가 기도하는 조각이 있다. 태엽을 돌리면 소리가 울려 퍼졌을 것이다. 그러나 이미 태엽은 헐거워져 있었고, 합판으로 덧댄 바닥은 습기로 부식되어 있었다. 그럼에도 나무의 결을 따라 금이 간 모습은 고풍스런 기운을 자아냈다. 어떤 소리였을까? 여자는 상상했다.

만약 이 오르골이 한국전쟁 당시의 것이라면, 아이와 함께 죽게 된 여인의 것이라면, 여자는 아이에게 음악을 들려주었을 것이다. 누군가가 자신들을 죽이러 온다는 공포 속에서 숨어 지내야 했던 엄마가 아이에게 오르골 소리를 들려주기 위해 태엽을 돌리고 있었을지도 모른다. 죽음을 눈앞에 둔 여인과 아이. 성모의 기도와 아이에 대한 사랑. 당시 여자에게 오르골은 일종의 부적 같은 것이었다. 그만큼의 환상과 위안으로도 살 수 있었던 나이. 당시에는 태아에 좋지 않은 영향을 줄지 모르는 것들에 대해서는 본능적으로 피했다. 다만 아이를 낳는 동안 마리아의 기도를 떠올리며 그 오르골을 곁에 두었을 뿐. 곧 여자는 오르골의 존재를 까맣게 잊고 지냈다.

여자가 오르골의 존재를 상기하게 된 건 남편이 실직한 후였다. 남편의 사업이 풀리지 않아, 학습지

교사로 일해 가계를 꾸려가는 동안 여자는 오르골을 서랍 깊숙이 처박아 두었다. 모든 환상은 사라지고 삐걱거리는 현실 앞에서 신음하던 중이었다. 줄어드는 수입과 집 평수만큼 여자는 많은 것들을 버려 갔다. 꿈도 추억도 사랑도. 당시 오르골은 버릴 수도 주워담을 수도 없는 남편이자 자신의 결혼 생활인 것만 같았다. 무섭고 두려울 수도 있었을 유골결 오르골이 여자와 남편에게 희망과 위안의 상징처럼 느껴졌다는 사실이 신기하기조차 했다.

여자는 마흔 언저리에서 몇 번의 가위눌림을 겪었다. '이대로 죽을지도 모른다. 그래도 좋겠다.' 그렇게 습한 겨울을 지나면서 여자는 체념하고 포기하는 법을 배워 갔다. 인간은 욕망 때문에 살기도 하지만 살기 위해 욕망을 버려야 하는 때도 있다. 여자는 그즈음 다시 오르골을 접했다. 전혀 다른 얼굴로 다가온 오르골. 딱히 쓸모는 없지만 존재 자체로 위안이 되었다고 해야 할까? 서랍 구석에라도 자리잡고 있다는 데서 오는 안도감. 그건 어쩌면 익숙함 때문이었는지도 모른다. 모든 걸 내려놓고 쉬고 있을 그 무렵, 여자는 꿈을 꾸었고, 노래를 들었다. 그것은 골짜기 깊은 곳에서 터져나오는 노래였다. 오랫동안 숨겨져 왔던 노래. 죽은 뼈들이 살아 돌아와 내를 건너는 소리를 들었고, 자신의 마른 몸에 물이 가득 차오르는 것을 느꼈다. 묻어 두었던 가슴을 열자 쏟아지는 소리들. 여자는 노래하기 시작했다. 많은 것이 달라졌다. 하와가 가인을 낳고 의기양양해진 것처럼, 여자는 삶에 다시 적응했고, 제 목소리를 내기 시작했다.

여자는 당시의 자료들을 파헤치는 일이 지금 자신이 해야 할 일이라 생각했다. 그것은 여자에게 말 건넨 오르골에 대한 책임이기도 했다. 한국전쟁 당시 이곳에선 끔찍한 예방 학살이 있었다. 처음엔 군인과 경찰들에 의해 좌익 활동가와 보도 연맹원들이 죽어 나갔고, 뒤이어 인민군이 점령했을 때는 인민재판에 의해 수모를 겪은 이들이 있었으며, 수복 후에 돌아온 이들에 의해, 인민군에 부역했다는 이유로 죽음을 당한 이들이 있었다. 분명한 사실은 전쟁을 일으키고 분단에 책임 있는 권력자들에 의해 자신의 죄가 무엇인지도 모르는 수많은 민간인들이 좌로, 우로 몰려 학살당했다는 것이다. 그들은 그렇게 골짜기에 묻혔다.

유해는 학살된 현장과 관련 있을 것이다. 남편은 공사장 인근, 마을 어른들에게 그곳에서 멀지 않은 골짜기에서도 학살이 있었고, 그곳을 파면 당시의 상황을 보여줄 시신들이 무더기로 나올 거라는 말을 들었다고 했다. 밤이 되면 어디선가 들리는 곡소리 때문에 그 산기슭에 살던 이들 중에는 미쳐버린 이들도 적지 않았다고.

그러나 당시 발굴을 이끌었던 연구자는 아이를 안고 죽은 여자의 유골로 추측할 만한 것은 없었다고 여자에게 못 박았다. 그러자 남편은 자신이 본 유골이 착시현상에 따른 환영인지도 모른다고 했다. 그는 늘 자신의 주관적 느낌보다 객관적 자료를 더 신뢰했다. 여자가 오르골에 대해 밝힌다 하더라도 곧 진단이 내려질 것이다. 나무의 재질로 보아 불과 20년 전에 만들어진 쓰레기에 지나지 않을 거라는 진단. 그리고 그것은 사실일지도 모른다.

그랬다. 객관적 자료와 과학적 근거라는 이름으로 얼마나 많은 가능성들이, 사연들이, 감정적 진실들이 학살당했을까. 그러나 여자는 침묵할 수밖에 없었다. 감정적 진실을 담은 많은 이야기들이 객관적 사실로 둔갑하여 그릇된 오해와 우상의 역사를 써 온, 그 망령 또한 익히 보아 왔기 때문이다.

다만 여자는 자신에게 온 오르골의 존재를 부인할 수는 없었다. 말하지 않지만 느낄 수 있는 어떤 신호가 있다는 것을. 숨어 있는 것. 보이는 것 너머의 세계. 골짜기에서 울려 나오는 부정할 수 없는 목소리. 이들에 대한 관심은 이미 여자의 삶이 되어 가고 있었다.

오르골의 노래

골짜기엔 무수한 소리가 있지. 나는 여기서 모든 이들의 음성을 들어. 살아남은 자와 죽어간 자. 골짜기에서 우우, 바람 소리가 나거나 빗소리가 날 때에는 파도가 밀려오듯 소리가 몰려와. 나는 그 속에서 너와 접속해. 이 이야기들은 모두 나의 이야기이자 너의 이야기기도 할 거야. 각자가 지닌 현실이 뫼비우스의 띠처럼 뒤얽혀 이어졌다고 해야 할까.

남편은 딱히 잘못을 범한 일이 없으니 별일 없을 거라고. 내일이나 모레쯤이면 나올 테니 걱정 말라고. 그렇게 내 불안을 재우더니 그게 마지막이었어.

떠나기 전. 며칠째 비가 내렸어. 유월인데도 추웠어. 그날따라 유독 으슬으슬 추웠어. 해질 무렵, 남편이 아궁이에 불을 땠는데 그는 고르게 땔 줄을 몰라. 아랫목이 다 타버릴 정도였으니까. 참 서툴렀어. 해본 적이 없으니까. 그래도 절절 끓은 아랫목, 그 밤이 좋았어. 장마철 비릿한 냄새가 다 지워지고 오랜만에 본 남편의 따뜻하고 선한 눈빛. 꿈이 좌절되고 분노와 절망으로 일그러져 있던 그의 눈이 오랜만에 처음 본 그날처럼 따뜻했거든. 그런데 그게 끝이라니.

기이한 일도 모두가 겪으면 순식간에 평범한 일이 되어버려. 위로라면 그것이 비단 나만 겪는 일이 아니라는 사실일까. 그냥 세상이 그런 거라고. 어제 곁에 있던 한 사람이 오늘 문득 사라지는데 곧 아무렇지도 않게 익숙해져 갔어. 사람들은. 너무 고통스러우면 오히려 놓아 버리게 되나 봐. 무감각하고 멍한 채로 밥을 짓고 빨래를 하고 아무렇지도 않은 척 그렇게 쉴 틈 없이 도망쳐야 했어.

문득 냇가에서 빨래를 하다가 동네 아주머니가 무심코 뱉어버린 말에, 그래도 빨갱이가 아니라 제 남편은 무사히 살아 돌아왔다는 그 말에, 방망이로 빨래를 두드리다가 문득 그게 남편이 만든 엉성한 나무 방망이였다는 걸 본 순간, 미웠어. 모든 게 갑자기 다. 죽은 그이나 살아 돌아온 그들이나. 그들의 아내나. 거기 그렇게 퍼질러 앉아 아무 소리도 못 하고 있는 나나. 그냥 모든 게 다 미워서, 부서져 버릴 때까지 설움에 북받쳐서 방망이질을 했어. 아낙들이 슬금슬금 개울가를 떠나고, 해가 지고 밤이 으스러지도록 그렇게 방망이를 두드리다 부서진 방망이를 껴안고 울었어. 물소리에 이 설움이 다 실려 갈 수 있다면. 그렇게 함께 떠내려 갈 수 있다면.

남편이 보도연맹원이 되도록 도왔던 작은아버지는 남편이 어떻게 죽어 갔는지 들은 얘기를 전했지. 문제될 게 없더라도 잠시 피해 있는 게 좋겠다고 남편에게 일러주었지만, 자신이 떠나면 가족이 더 피해를 보게 될 거라며 그는 떠나지 않았다고. 대전 형무소에서도 누구든 사람 하나만 불면 빼 준다고 해도 끝까지 입을 다물고 있어 별 수 없었다고. 게다가 그 사이 서북청년단이 나타나 가세하는 바람에 더 무참히 죽었다고 했어.

살아남은 자는 살기 위해 왜곡했고, 그들이 어떻게 자신의 꼬리를 감추는지 그때 어렴풋이 느꼈어. 사람들은 제각각 제 믿고 싶은 대로 믿지. 차라리 그가 정말 빨갱이였다면, 차라리 그랬다면 좀 덜 억울했을까.

남편은 먼 친척뻘 되는 오빠였어. 곱게 자란 샌님. 해방 즈음, 마을로 돌아온 그는 열정에 차 있었어. 곧 평등한 세상 진짜 새로운 조선이 올 거라고. 남녀도 평등하고 계급이 없는 민주적이고 자유로운 세상. 마을 사람들 대부분이 그런 세상을 함께 원했어.

그 무렵, 빨리 손주를 보고 싶은 시아버지의 기대와 면서기 하던 작은아버지의 욕심으로 결혼은 일

사천리로 진행되었어. 어릴 적부터 몰래 바라던 내 꿈이기도 했고.

그러나 곧 그의 꿈도 나의 꿈도 모두 환상이라는 걸 조금씩 깨달아 갔지. 남편이 바라던 하나의 세상은 두 조각으로 나뉘었고. 남편이 지지했던 사람들이 하나둘 암살되어 사라져 갔어. 남편의 꿈이 꺾이고 분노와 절망으로 일그러져 가는 동안 나 역시 그를 통해 보았던 평등이 환상에 지나지 않았다는 걸 그의 그림자를 보며 서서히 깨달아 갔지. 사실 나는 그에게 간택되길 바라는 처녀였던 것 같아. 머리로는 그에게 배운 계급평등 남녀평등을 꿈꾸었으면서도. 우습지?

유독 까다로운 그의 음식 투정. 나는 그게 늘 제일 불편했어. 처음엔 맞춰 주려 노력했지만 슬슬 부아가 치밀어 올랐고, '몸에 밴 부르주아 근성'은 어쩔 수 없다고, 야학 시절 그에게 배운 대로 그를 공격했지. 남편은 그걸 가장 참을 수 없어 했어. 이상과 현실 사이에서 우린 그렇게 발가벗겨졌지. 모든 부부가 그랬듯 그렇게 서로를 할퀴며 방황했고, 그런 우여곡절을 겪으며 서로에게 조금씩 물들어 갔어.

삼 년이 지났을까. 꿈을, 불완전하더라도 조금씩 우리의 현실로 그려 가기 시작했고, 그렇게 적응해 갈 무렵, 그가 떠나 버렸지. 기어코 어긋나고야 마는 톱니바퀴처럼.

인민군이 들어왔어. 난 어느 쪽도 싫었어. 나는 이미 내가 사는 일 자체를 이해할 수 없었으니까. 남편의 분노와 체념을 고스란히 배워 갔어. 당시 내겐 죽음만이 옳은 편으로 여겨졌지. 마을에서 인민재판이 열렸지만 마을 유지임에도 시가는 무사했어. 시아버지는 이미 자식 때문에 화병으로 앓아누운 상태였고, 모든 걸 포기한 상태였으니까. 면서기였던 작은아버지는 이쪽저쪽으로 크게 미움 산 일이 없었던 탓인지, 아니면 그 외 어떤 재주가 있었는지 알 길 없지만 무사했고. 대개 마을은 별일 없이 지나갔어. 문제가 될 사람들은 이미 피난을 떠난 상태이기도 했고. 나는 그저 모든 걸 잊어버리려는 듯 마을의 빨래를 도맡아 했어. 마을 사람들의 것과 인민군들의 군복. 모두를 빨았어. 그게 인민군 부역에 속하는 일이었다는 걸 수복이 되어서야 알았지.

수복 후, 서북청년단 소속이 되어 마을을 떠났던 서 씨가 군인이 되어 돌아왔어. 그가 남편의 죽음에 관여되었을지 모른다고 작은아버지께 들은 일이 있었지. 그는 시댁 마름의 아들이기도 해서 남편과도 가깝게 지냈고 함께 야학을 하기도 했는데 어느 날 갑자기 사라졌어. 마을 사람들은 마을 유지였던 시댁보다 마름이었던 서 씨 가족을 유독 싫어했어. 소작을 줄 때마다 못되게 굴었다고. 마을 사람들은 시아버지를 찾아가 고했고, 그때마다 서 씨 아저씨는 시아버지에게 더 매섭게 혼쭐이 났어. 남편도 유독 서 씨 아들만은 무시하고 하대했고. 가끔 어쩌면 그게 화근이 되었을지도 모른다고 생각하게 돼. 물고 물리는 꼬리였을까?

마을은 다시 쑥대밭이 되었어. 그가 돌아온 후, 인민군 부역을 했다는 이유로 많은 사람들이 트럭에 실려 갔지. 시댁 식구도. 면서기였던 내 작은아버지까지도 모두.

며칠 후 그가 날 찾아왔어. 내가 인민군 부역을 했다더군. 죽어야 마땅했지만 협조를 잘하면 약한 여자니 살려 주겠다고. 마치 인심이라도 쓰는 것처럼 너만큼은 잘 보살펴주겠다는 그 눈빛. 그러나 들짐승 같은, 어떤 아픔도 느낄 수 없는 그저 사냥개에 지나지 않은 그 눈빛. 거기에 욕지기가 났어. 그가 모두를 끌고 갔을 때 마을 사람들과 우리 가족으로부터 무시당해 그동안 원한에 사무쳤는지도 모르겠다고. 한 사람을 그렇게 이해해 보려고도 했었어. 그러나 그 눈빛을 보는 순간, 제발 죽여 달라고 했지. 질긴 목숨 어서 끝내고 싶었으니까. 무덤 속이 가장 편안할 거니까. 살아남아 내가 어떤 세월을 보내게 될지, 그놈이 뭘 원하는지 너무도 잘 아니까. 그놈이 데리고 다니는 놈들 가운데 몇 놈은 아편을 먹고 내려와 밤중이면 동네 여자들을 겁탈한다는 소문이 돌았어. 이미 미쳐버린 아낙도 있었고. 그리고 난 그 눈빛에서 그 소문이 어떤 과장도 없는 정확한 사실임을 확인했고. 그게 끝이었어.

골짜기에선 소리가 여전히 들려. 이제 화해할 수 있는 것들과 아직도 여전히 화해할 수 없는 것들 사이에서 우우 파도가 몰아치는 소리. 언제쯤 끝날 수 있을까. 끝은 있을까.

어쩌면 넌 오르골에 대한 이야기를 듣고 싶었을지도 모르겠지만 나는 사실 그 오르골을 본 적은 없어. 네 얘기를 들으며 내게 그런 것이 있다면 좋았을까? 소리를 들을 수 있다면, 글쎄 그게 위로가 될 수 있을까 생각했어. 그리고 내 배 속에 태아가 있었을지도 모르지만 그것 역시 나는 몰랐던 일이야. 그러나 그것이 사실이 아니라 해서 이 이야기를 부정할 수 있을까. 저 하늘에 오르려 했던 이 골짜기의 소리를.

이야기는 분명 네 삶의 무게중심을 조금씩 어디론가 옮겨 놓겠지. 어느 쪽으로든 빛은 그림자를 남길 테고. 다만 그 그림자가 부디 크지 않기를. 지나간 나의 계절보다 너의 계절에는.

에필로그

아담은 돌아왔다. 별일 없이 무사히. 그리고 여자를 하와라 불렀다. 생명. 그렇게 둘은 서로를 이해했고 엘로힘의 형상을 닮아 갔다고 한다. 확신에 찬 남자는 인후통과 두통을 경험한 뒤 전보다 만남을 줄였다. 마스크를 꼭 착용했으며 자신하는 친구에게 '그래도 조심은 해야지' 경고를 잊지 않았다. 반면 여자의 불안증은 확실히 회복되었다. 여자의 상문살이 오르골의 노래를 듣게 한 것일까. 여자의 불안은 예상했던 대로 지나가는 꽃샘추위에 불과했는지 모른다. 꽃이 활짝 피려나 보다. 온 산이 연둣빛 싱그러운 새순이다. 전보다 더 파란 하늘. 여자는 하늘에 감사했다. '아직 모두 무사히 살고 있고, 설령 언젠가 죽음이 닥친다 해도 우리만 피해 갈 수 있다고 여기지 않으므로, 그때까지 더 많이 껴안고 사랑하고 한 발이라도 나아가리라고.'

작가 소개

함순례

1993년 《시와사회》로 등단하여 시집 『뜨거운 발』 『혹시나』 『당신이 말할 수 없는 것을 말하고』 『울컥』을 냈다. 사람과 사물 안쪽에 깃든 농담에 웃고 비애에 울며 푸르고 깊은 세계를 두리번거리고 있다.

hamsoo2001@hanmail.net

정재은

동화를 쓴다. 그중에도 SF동화를 쓴다. 일이 닥치면 늘 딴짓을 시작하며, 그러한 딴짓이 허용될 수 있는 평화를 꿈꾼다. 동화집으로 『내 여자 친구의 다리』가 있다.

lowslow@gmail.com

백민정

구비문학을 전공해 고전문학 박사가 되었다. 지금 충남대학교 국어국문학과에서 강의하고 있다. 사람과 삶을 담은 이야기를 찾아다니고 듣고 더부는 이야기 연구가이다.

bmjletter@naver.com

김정숙

현대문학을 전공했으며 현재 충남대학교 자유전공학부에서 학생들과 호흡하고 있다. 문학과 글쓰기를 통해 소통하고 공감하는 시간이 소중하고 행복한 인문학자이다.

metahope@hanmail.net

김병호

시를 안 쓰기도 하고 소설을 안 쓰기도 하며 과학에세이 같은 글을 안 써서 남는 많은 시간에 주로 빈둥거린다. 그러다 '우리는 왜 생명으로 여기 있는가' 같은 문제를 잠깐 따지기도 하고, 다시 빈둥거린다.

poetho@naver.com

정덕재

1993년 경향신문 신춘문예로 등단해 시집 몇 권을 펴냈다. 수만 장의 방송 원고는 전파로 날아가 사라졌다. 세상에 누가 되지 않는다면 뭐든 쓰려고 한다. '사랑할 시간은 서서히 줄어들거나 급하게 사라지거나', 쉰 중반을 넘어가면서 이런 생각을 종종 한다.

and332@hanmail.net

이숙용

가진 것도, 백(back)도, 재능도 없어 초기 자본이 들지 않는 글 쓰는 일에 우연히 발을 담근 후 30년 넘게 머리칼을 쥐어뜯으며 방송작가 일을 하고 있다. 여러 방송사에서 일하는 동안 클래식, 가요, 팝송, 국악 등 많은 음악을 들었다. 노래는 마음을 격하게 부추기고 때로는 편하게 다스려주는 위안이다. 음악을 가까이 할 수 있다는 건 다행스럽다.

salix902@naver.com

조영여

시에 마음을 두었다가 오랫동안 멀리 떠나 있었다. 그리고 떠난 곳에서 신화가 된 시들을 만났다. 지금은 신화 속에 묻혀 있는 숨은 노래들과 연애하는 중이다. 논문 「신화 원형으로 본 창세기의 두 창조 서사와 토비트」로 그 첫발을 떼었다.

gamunbi01@hanmail.net

사람의 전쟁 1

-문학의 눈으로 바라보는 한국전쟁 70년

펴낸날	2020년 6월 25일
펴낸이	스토리밥작가협동조합
기획	스토리밥작가협동조합
원고집필	함순례 외
디자인 및 제작	도서출판 걷는사람
등록	2016년 11월 18일 제25100-2016-000083호
주소	서울 마포구 월드컵로16길 51 서교자이빌 304호
전화	02 323 2602
홈페이지	walker2017.com
인쇄	스크린그래픽

ISBN 979-11-89128-74-6

ISBN 979-11-89128-73-9 [04128] 세트

* 이 책은 대전문화재단이 펼친 '협업형예술창작생태계지원사업'에 선정되어 만들어졌습니다.

* 이 책의 국립중앙도서관 출판시도서목록(CIP)은 서지정보유통지원시스템 홈페이지 (http://www.seoji.nl.go.kr)와 국가자료공동목록시스템 홈페이지(http://www. nl.go.kr/kolisnet)에서 이용할 수 있습니다. (CIP제어번호: 2020024145)